M000216878

RIQUET À LA HOUPPE

AMÉLIE NOTHOMB

Riquet à la houppe

ROMAN

ALBIN MICHEL

ISBN : 978-2-253-07367-3 – 1re publication LGF

Enceinte à quarante-huit ans pour la première fois, Énide attendait l'accouchement comme d'autres la roulette russe. Elle se réjouissait pourtant de cette grossesse qu'elle espérait depuis si longtemps. Quand elle en avait pris conscience, elle en était au sixième mois.

— Enfin, madame, vous n'aviez plus vos règles ! dit le médecin.

— À mon âge, ça me paraissait normal.

— Et les nausées, la fatigue ?

— Je n'ai jamais été très bien portante.

Le docteur dut admettre que son ventre à peine rond n'était guère significatif. Énide appartenait à cette génération de femmes si petites et graciles qu'elles ne paraissent jamais des femmes et passent brutalement de l'état d'adolescentes à celui de vieilles petites filles.

Ce matin, à l'hôpital, Énide n'en menait pas large. Elle sentait qu'il se préparait une catastrophe et qu'elle n'y pouvait rien. Son mari lui tenait la main.

— Je n'y arriverai pas, dit-elle.

— Tout va très bien se passer, l'encouragea-t-il.

Mais il n'en pensait rien. Énide n'avait pas pris un gramme pendant sa grossesse. On lui assura que le bébé vivait dans son ventre. Il fallait de l'imagination pour le croire.

Le docteur annonça qu'il allait pratiquer une césarienne. C'était l'unique possibilité. Les époux furent rassurés.

On savait déjà qu'il s'agissait d'un garçon. Énide le considéra comme un cadeau de Dieu et voulut l'appeler Déodat.

— Pourquoi pas Théodore ? C'est le même sens, dit le mari.

— Les meilleurs hommes du monde portent un prénom qui se termine en « –at », répondit-elle.

Honorat ne put que sourire.

Quand les parents découvrirent le bébé,

ils changèrent brutalement d'univers. On eût dit un nouveau-né vieillard : fripé de partout, les yeux à peine ouverts, la bouche rentrée – il était repoussant.

Pétrifiée, Énide eut du mal à retrouver assez de voix pour demander au médecin si son fils était normal.

— Il est en parfaite santé, madame.

— Pourquoi a-t-il tant de rides ?

— Un peu de déshydratation. Ça va très vite s'arranger.

— Il est si petit, si maigre !

— Il ressemble à sa maman, madame.

— Enfin, docteur, il est horrible.

— Vous savez, personne n'ose le dire, mais les bébés sont presque toujours laids. Je vous assure que celui-ci me fait bonne impression.

Laissés seuls avec leur enfant, Honorat et Énide se résignèrent à l'aimer.

— Et si nous l'appelions plutôt Riquet à la Houppe ? suggéra-t-elle.

— Non. Déodat, c'est très bien, dit le nouveau père en souriant courageusement.

Par bonheur, ils avaient peu de famille et peu d'amis. Ils eurent néanmoins à endurer des visites dont la politesse ne parvint pas à masquer la consternation. Énide observait le visage de ceux qui découvraient son petit ; chaque fois qu'elle constatait le tressaillement de dégoût, elle était au supplice. Après un silence crucifiant, les gens finissaient par hasarder un commentaire d'une maladresse variable : « C'est le portrait de son arrière-grand-père sur son lit de mort. » Ou : « Drôle de tête ! Enfin, pour un garçon, ce n'est pas grave. »

Le sommet fut atteint par la méchante tante Épziba :

— Ma pauvre Énide, tu te remets ?

— Oui. La césarienne s'est bien passée.

— Non, je veux dire, tu te remets d'avoir un gosse aussi vilain ?

Vaincus, les parents regagnèrent leur domicile où ils se cloîtrèrent.

— Mon chéri, dit la mère à Honorat, jure-moi que nous ne recevrons plus personne.

— Je te le jure, mon amour.

— J'espère que Déodat n'a rien capté du fiel et de la médisance de tous ces gens. Tu sais, il est si gentil. Il a essayé de me téter le sein et quand il a vu qu'il n'y arrivait pas, il m'a souri, comme pour me dire que ça n'avait pas d'importance.

« Elle est en train de perdre la raison »,

pensa le père. Énide avait toujours été d'une extrême fragilité, tant physique que psychologique. À quinze ans, elle avait été renvoyée de l'école des petits rats de l'Opéra de Paris pour un motif inconnu dans l'histoire de cette auguste maison : excès de maigreur. «Nous ne savions pas que c'était possible», avait conclu l'examinatrice.

Comme la jeune fille mesurait un mètre cinquante, elle ne pouvait pas songer au mannequinat. Elle avait eu le brevet de justesse. La principale raison pour laquelle les professeurs le lui avaient octroyé était qu'ils misaient sur sa carrière de danseuse étoile.

Énide n'avait pas osé annoncer à sa famille son échec et venait s'asseoir chaque matin sur le parvis de l'Opéra, où elle demeurait prostrée jusqu'au soir. C'est là qu'Honorat, alors apprenti cuisinier à l'école de danse, l'avait repérée. Ce jeune homme de dix-sept ans, rond de corps et d'esprit, était tombé fou d'amour pour l'enfant chétive.

— Tu pourrais trouver mieux qu'une candidate au suicide, lui avait-elle dit.

— Épouse-moi.

— Je ne fais pas le poids.

— À nous deux, nous le faisons.

Comme aucun autre destin ne l'attendait, la jeune fille finit par accepter. En matière de mariage, le Code Napoléon était encore en application : l'âge minimal était de quinze ans pour les filles, de dix-huit ans pour les garçons. Il fallut attendre un an et les deux adolescents s'épousèrent à l'église Saint-Augustin.

Ils furent très heureux. Énide, à sa surprise, ne tarda pas à tomber éperdument amoureuse du garçon rond. Sa gentillesse et sa patience à toute épreuve l'impressionnèrent. Il monta vite en grade et devint chef cuisinier à l'école de danse. Les petits rats ne cessaient de venir lui enjoindre de mettre moins de beurre et de crème dans ses plats, bien qu'Honorat leur jurât qu'il n'achetait plus ces ingrédients depuis longtemps.

— En ce cas, pourquoi la popote est-elle si bonne ? s'insurgèrent les jeunes ballerines.

— C'est parce que je la prépare avec amour.

— L'amour fait-il grossir ? Vous êtes tout rond !

— C'est ma nature. Mais regardez ma

femme et vous verrez comme l'amour rend mince.

L'argument était spécieux, Énide avait toujours été la gracilité même. Il rassura néanmoins les petits rats, qui plébiscitèrent le cuistot.

Plus de trente années s'écoulèrent dans un bonheur si absolu que les amoureux ne les virent pas passer. L'épouse s'attristait souvent de ne pas avoir d'enfant. Honorat la consolait en lui disant : « Nous sommes nos enfants. »

En effet, ils vivaient comme des gosses ; dès qu'il quittait ses cuisines, il s'empressait de rejoindre sa femme. Ensemble, ils jouaient à la belote ou aux petits chevaux. Quand il y avait la foire aux Tuileries, ils y passaient des heures. Le stand de tir avait leur préférence, bien qu'ils fussent l'un et l'autre les tireurs les plus inaptes qu'on vît jamais. Lorsqu'ils avaient mal au cœur d'avoir trop tourné dans la grande roue et trop mangé de barbe à papa, ils rentraient à pied à l'Opéra en se tenant par la main.

Énide n'avait pas de santé mais elle n'en aurait pas eu l'usage. Ses maladies, d'une bénignité de bon aloi, étaient célébrées comme celles des petites filles. Honorat lui portait au lit un plateau avec des toasts à la gelée de myrtilles et du thé léger. Ensuite, il débarrassait et se couchait auprès d'elle en la gardant contre lui. Son corps molletonné épongeait les sueurs de la fiévreuse ou les miasmes de la tousseuse. Par la fenêtre de leur chambre sous les combles de l'Opéra, ils regardaient Paris qui pour eux seuls n'avait pas changé depuis Cocteau. Tout le monde n'a pas la grâce d'être des enfants terribles.

La naissance de Déodat fut un atterrissage brutal. Nécessité faisant loi, ils devinrent cette sorte d'adultes qu'on appelle des parents. D'avoir été enfants beaucoup plus longtemps que la moyenne des gens les handicapait : ils conservèrent l'habitude de se réveiller le matin avec pour première pensée leur bon plaisir. C'était toujours Honorat qui se rappelait à voix haute : « Le petit ! »

Conscient de décevoir, le bébé se fit d'emblée discret. On ne l'entendait jamais pleurer. Même affamé, il attendait patiemment le biberon qu'il tétait avec l'extase goulue d'un mystique. Comme Énide avait du mal à cacher l'épouvante que lui inspirait son visage, il apprit très vite à sourire.

Elle lui en sut gré et l'aima. Son amour fut d'autant plus intense qu'elle avait craint de ne pas l'éprouver : elle se rendit compte que Déodat n'avait rien ignoré de sa répugnance et l'avait aidée à la vaincre.

— Notre fils est intelligent, déclara-t-elle.

Elle avait raison : l'enfançon avait cette forme supérieure d'intelligence que l'on devrait appeler le sens de l'autre. L'intelligence classique comporte rarement cette vertu qui est comparable au don des langues : ceux qui en sont pourvus savent que chaque personne est un langage spécifique et qu'il est possible de l'apprendre, à condition de l'écouter avec la plus extrême minutie du cœur et des sens. C'est aussi pour cela qu'elle relève de l'intelligence : il s'agit de comprendre et de connaître. Les intelligents qui ne développent pas cet accès à autrui deviendront, au sens étymologique du terme, des idiots : des êtres centrés sur eux-mêmes. L'époque que nous vivons regorge de ces idiots intelligents, dont la société fait regretter les braves imbéciles du temps jadis.

Toute intelligence est aussi faculté d'adaptation. Déodat devait amadouer un entourage peu enclin à la bienveillance envers les horreurs de la nature. Que l'on ne s'y trompe pas : Énide et Honorat étaient de bonnes personnes. La vérité est que nul n'est disposé à accepter la hideur, et surtout chez sa progéniture. Comment supporter qu'un moment d'amour ait pour conséquence le choc toujours neuf du laid ? Comment tolérer qu'une union réussie aboutisse à une tronche aussi grotesque ? On ne peut accueillir une telle absurdité que comme un accident.

Avant même d'avoir atteint le fameux stade du miroir, le bébé sut qu'il était très vilain. Il le lut dans l'œil sensible de sa mère, il le lut jusque dans le regard placide de son père. Il le sut d'autant mieux que sa laideur ne provenait pas de ses parents : il ne l'avait héritée ni de sa jolie maman, ni de son papa au visage poupin – paradoxe insoutenable exprimé ainsi par Énide : « Mon chéri, à cinquante ans, tu as plus la tête d'un poupon que notre pauvre petit. » Dans la bouche d'Énide, revenait souvent « le pauvre petit ».

Tous les bébés sont seuls et il l'était

encore plus que les autres, laissé à lui-même dans ce berceau qui lui servait d'univers. Il aimait la solitude : livré à sa propre compagnie, il n'avait plus à composer avec les apitoiements et pouvait s'adonner à l'ivresse d'explorer son cerveau. Il y découvrait des paysages si grands et si beaux qu'il apprit très tôt le noble élan de l'admiration. Il pouvait s'y mouvoir à volonté, changer les prises de vue et écouter le son qui parfois surgissait de l'infini.

C'était un vent qui soufflait si fort qu'il devait venir de terriblement loin. Sa violence le faisait se pâmer de plaisir, il contenait des bribes d'un langage inconnu que Déodat comprenait en vertu de son don d'écoute et qui disait : « C'est moi. C'est moi qui vis. Rappelle-toi. » C'était un son profond qui faisait penser à celui d'une baignoire qui se vide et provoquait en lui une peur de pur délice. Un délice que recouvrait un voile si noir qu'il n'existait plus aucune lumière. Le jeu consistait alors à se laisser envahir par l'immensité du néant. Triompher d'une telle épreuve le remplissait de joie et d'orgueil.

Alors réapparaissaient très lentement les choses : Déodat voyait émerger du rien les premières parcelles d'existence, un protozoaire avec lequel il jouait et qui s'assemblait avec un circuit de couleurs, et il jouissait de chaque couleur à l'état natif, la suavité du bleu, la richesse du rouge, la malice du vert, la puissance du jaune, et il éprouvait en les touchant un frisson exquis.

Il constatait qu'il s'agissait presque toujours de visions et soupçonnait qu'il existait d'autres moyens d'exploration. Mais il examinait ce qui était à sa disposition et comprenait qu'à sa manière il avait été très bien pourvu. Il apprit à goûter ses doigts un peu salés et son oreiller que la salive rendait doux comme le lait. Quand il souhaitait plus de contrastes, il poussait dans son lange et produisait une matière tiède épaisse qui sentait fort : il en éprouvait une fierté farouche. Les portes s'ouvraient et il entrait dans un royaume dont il était le seul maître.

Là sévissait l'amour, qui n'était jamais aussi bon que dans cette solitude. Ce déferlement ne s'adressait à personne en particulier : cet amour sans objet ne s'encombrait d'aucune préoccupation autre et le livrait à la volupté la plus colossale qui se puisse concevoir. Il suffisait de se précipiter dans ce flux et il était emporté là où il n'y avait ni temps ni espace, rien que l'infini du plaisir.

Venait toujours l'instant où surgissait un visage : autrui se souciait de lui, il fallait à nouveau composer. Déodat avait remarqué que le sourire constituait une bonne réponse à l'inexorable demande parentale et ne s'en privait pas.

Quand il était seul, le bébé ne souriait jamais. Il n'avait pas besoin de s'avertir lui-même de son contentement. Le sourire relevait du langage ou, plus exactement, de cette forme du langage qui s'adressait à l'autre. Car il existait aussi un langage intérieur, étranger à l'information, qui ne servait qu'à l'augmentation de l'extase.

Force était de constater qu'en présence de ses parents, le propos perdait de sa qualité. Il fallait se mettre à leur niveau, pire, au niveau qu'ils lui attribuaient. On nageait dans le fantasme de l'enfantillage. Mais Déodat aimait son père et sa mère et acceptait leurs règles.

Énide s'emparait de son corps et le blottissait contre elle. Il sentait les paroles d'amour qui jaillissaient de la poitrine maternelle. Elle enlevait son lange et le complimentait pour ce qu'elle y trouvait. Cela le confirmait dans l'idée qu'il avait accompli une œuvre admirable. Elle nettoyait ses fesses, il gigotait des jambes de plaisir. Elle appliquait des onguents d'une fraîcheur délicieuse et fixait un lange neuf. Pâmé de volupté, le petit gardait la bouche entrouverte.

— Il doit avoir faim, observait Honorat. Je vais préparer le biberon.

Déodat savait que son physique posait un problème à ses parents et avait refusé de contracter les allergies alimentaires que peuvent se permettre les beaux enfants. Il buvait son biberon de lait de vache sans faire d'histoires. «Sage comme une image», lui disait-on.

On le plaçait ensuite dans son parc. Il appréciait cet espace pour une raison simple : on ne pouvait pas l'y rejoindre. S'il aimait profondément son père et sa mère, il avait remarqué qu'il préférait les aimer avec un peu de distance : son senti-ment y gagnait. Lorsqu'il était dans les bras d'Énide, l'excès du plaisir gâchait une part de son amour. À l'abri de son parc, il ana-lysait l'exaltation en la revivant par le sou-venir et sentait déferler en lui l'ivresse de l'effusion. Il la revivait d'autant mieux qu'il pouvait observer la dame de ses pensées sans qu'elle le regardât : elle s'affairait, elle passait l'aspirateur, elle lisait. Il ne l'aimait jamais autant que quand elle lui offrait sa présence sans l'angoisse de son attention.

Déodat aimait aussi Honorat, d'un amour différent, qui venait davantage de sa tête que du reste de son corps. Dans les bras de son père, il éprouvait un agréable commerce d'affection et d'estime. Il appréciait qu'il n'y ait pas d'effusions avec celui-ci : c'eût été gênant. Il sentait que cet homme était exempt de l'anxiété maternelle et il lui savait gré de sa solidité et de son équilibre.

Un jour, un événement se produisit : le bébé découvrit qu'il existait d'autres personnes dans l'univers. Énide avait ouvert la porte et était apparu un être du même sexe que le père, mais à la carrure plus imposante et à la voix plus grave. Sa mère ne sembla pas étonnée de cette apparition.

— Vous mettrez les courses dans la cuisine, dit-elle.

L'individu porta un nombre remarquable de bouteilles d'eau. Et puis il s'en alla aussitôt.

Déodat réfléchit. Si une telle irruption avait pu ne pas subjuguer sa mère, c'est que cette personne n'avait rien de remarquable pour elle. Il s'efforça de remonter en un lieu lointain de son cerveau; pour inaccessibles que fussent ces ténèbres, il y vit néanmoins quelques ombres qui confirmèrent cette énormité: le père, la mère et lui n'étaient pas seuls au monde. Robinson tombant nez à nez avec Vendredi ne fut pas plus stupéfait.

Plus tard, il entendit une conversation entre Honorat et Énide :

— Elles sont terribles. J'ai beau leur jurer solennellement que je n'ajoute pas une once de matière grasse dans les plats, elles se méfient au point d'y toucher à peine.

— Veux-tu que je me montre à nouveau pour les rassurer ?

— Peut-être le faudra-t-il. Mais j'en ai plus qu'assez de cette ère du soupçon chez ces filles anorexiques.

L'enfant eut ainsi la confirmation que l'univers était également habité par d'autres individus du même sexe que la mère. Il sentit que cet échange comportait des informations annexes; il décida cependant d'en ajourner la compréhension.

Le langage dont se servaient ses parents ne lui posait guère de problèmes. Quand surgissait un ensemble de sons inconnus, la signification ne tardait pas à émerger. Il advint que la dame de ses pensées s'adressa à lui en se montrant du doigt et en prononçant de manière anormalement claire :

— Maman. Ma-man. Maman.

Il pensa qu'il savait son nom depuis longtemps. Pouvait-elle en douter ? Le croyait-elle imbécile ?

Elle le souleva jusque devant sa tête à elle et répéta :

— Maman. Ma-man.

Il avait cette bouche à la hauteur de ses yeux et il assistait au spectacle des lèvres articulant les syllabes. C'était effrayant et absurde. Pourquoi faisait-elle ça ?

Pourtant, sans même qu'il le sache, le mimétisme de son âge l'obligea à grimacer de manière comparable et, à sa consternation, il entendit sortir de sa bouche un «mamama» indépendant de sa volonté.

— Oui, mon bébé ! Oui, mon bébé ! s'écria Énide au comble de la joie. Bravo !

Elle couvrit ses joues de baisers voraces. Elle avait l'air encore plus enthousiaste que quand elle découvrait le plus beau de ses cacas. Déodat trouva incongrue une telle échelle des valeurs.

De retour dans son parc, il analysa cette

actualité avec inquiétude. Sa mère voulait qu'il parle. Pourquoi ? Que faudrait-il qu'il dise ? Que voulait-elle qu'il dise ?

La demande avait été claire. Elle avait voulu qu'il dise son nom. Dire le nom de la personne à qui l'on avait affaire devait donc constituer un rituel important. Déodat avait déjà observé des comportements de ce genre dans la vie des grands. Songer à dire « papa » à papa pour qu'il ne se vexe pas.

Peut-être aussi maman avait-elle voulu vérifier si son appareil phonatoire fonctionnait. Oui, il devait y avoir de cela. Les personnes qu'il avait vues faisaient toutes du bruit avec leur bouche, lui n'en avait jamais produit. Il se rappelait avoir entendu Énide s'émerveiller de son silence et ajouter qu'il ne pleurait jamais. Elle, parfois, pleurait. Il la regardait alors avec une intensité extrême et elle disait : « Le monde à l'envers ! C'est bébé qui veut consoler maman ! C'est toi qui devrais pleurer ! » Pourquoi aurait-il dû pleurer ?

Pleurer semblait avoir un rapport avec la douleur. Pour ce qu'il en comprenait, la mère versait des pleurs quand elle souffrait. Il ne parvenait pas à discerner s'il s'agissait d'un symptôme ou d'un langage. Toujours est-il qu'il n'éprouvait pas de douleur et qu'il doutait même d'être capable de pleurer : il avait essayé lorsqu'il était seul, aucune eau ne sortait de ses yeux.

Honorat venait de rentrer à la maison. L'enfant se souvint de la mission qu'il s'était fixée et clama : « Papapa. » Comme foudroyé, le père se figea et finit par dire :

— Tu parles !

— Oui, il m'a dit maman, intervint Énide pour signaler qu'elle avait eu la préséance.

Il prit son fils dans ses bras et le couvrit de baisers :

— Bravo, mon chéri ! Maintenant nous allons enfin savoir ce qui se passe dans ta tête.

Ah. C'était donc ça. On voulait qu'il parle afin de savoir ce qui se passait dans sa tête. Parler servait-il à cela ? Non. Quand les personnes parlaient, elles disaient : « Je pose ça où, madame ? » ou : « Ce soir, nous mangerons des pâtes. » C'était de lui qu'on attendait cet emploi particulier du langage. Sans doute se passait-il, à l'intérieur de sa tête à lui, des événements spéciaux, des pensées prodigieuses qu'il produisait quand il était seul. Ce devait être pour cela qu'on le laissait si souvent en cette solitude chérie : on avait conscience qu'il en avait besoin pour s'adonner à la profondeur.

L'enfant en conclut que les autres savaient sa différence : il était cet élu dont l'intérieur de la tête abritait une actualité indispensable. Dans la tête des autres personnes, il n'y avait pas ces fulgurances et ces immensités. Et bizarrement, ils en avaient été avertis. Comment ? Il faudrait tirer cela au clair. On ne pouvait pas écarter que les grands aient des pouvoirs dont il n'avait pas – pas encore ? – été pourvu.

Par ailleurs, il avait observé qu'il était beaucoup plus petit que tous ceux qu'il voyait. Cela l'intriguait. Était-ce une infirmité ? Il décida que non. Cela permettait aux parents de le porter dans leurs bras et il aimait être hissé et blotti contre eux. Sa petitesse lui valait des égards : s'il convoitait un objet hors de sa portée, tendait ses mains vers lui et émettait un son, on le lui apportait. L'acquisition du langage perturba quelque peu ce processus : on souhaitait désormais qu'il nomme la chose. Déodat trouvait cette manie assez stupide, mais quand il obtempérait et prononçait

« panda » ou « cuiller », l'enthousiasme déclenché le réjouissait.

— Il parle bien, tu sais, disait Énide.

— Bientôt, il dira des phrases.

Le bébé se demanda en quoi une phrase représentait un progrès. C'était du cafouillage qui compliquait tout à plaisir. Pourtant, il lui importait d'aller dans leur sens, donc il dirait une phrase, d'autant qu'il était vexé qu'on ne l'en crût pas capable. Il réfléchit à l'énoncé qu'il choisirait et opta pour l'amabilité :

— Maman, cette robe te va bien.

Il sut aussitôt qu'il avait exagéré : la mère laissa tomber un verre qui se brisa en mille morceaux sur le sol et, indifférente à ce drame, courut attraper le téléphone et répéta frénétiquement dans le combiné :

— Il a dit : « Maman, cette robe te va bien » ! Je te jure ! À treize mois ! « Maman, cette robe te va bien ! ». C'est un surdoué ! Un précoce ! Un génie !

Elle mit une heure à songer à ramasser les débris de verre alors que d'habitude en pareil cas elle allait chercher l'aspirateur sur-le-champ. Ensuite, elle le prit dans ses bras et lui demanda :

— Qui es-tu petit bonhomme ?

— Déodat, répondit-il.

— Tu connais ton nom !

Bien sûr. Il n'était pas débile.

Alors, Énide commit un acte inédit : elle porta l'enfant devant une vaste surface éclatante dans laquelle on la voyait tenant contre elle un jouet au visage grotesque. Constatant sa perplexité, elle saisit la main du bébé et la remua. Déodat comprit par cette simultanéité l'identité du jouet. Il se sentit oppressé : lui, c'était ça. Il sut sa laideur sans qu'on la lui explique. Son visage dégageait un mystère horrible qui empira dès l'instant où il saisit de qui il s'agissait. Ses traits se crispèrent en une grimace oscillante et, avant qu'il ait pu analyser cette situation, un cri jaillit de sa bouche, de l'eau sortit de ses yeux, sa vue se brouilla, une convulsion s'empara de lui.

— Tu pleures ! s'écria la mère.

Elle ne voulut pas y voir un phénomène triste. Elle ne pouvait pas croire que sa laideur venait de lui être révélée. « C'est l'émotion du stade du miroir », pensa-t-elle.

— C'est bien, mon chéri. Pleure.

Depuis quelque temps, on professe que la laideur relève de la culture : elle nous inculquerait à trouver belles ou moches les personnes, bêtes ou choses. On confond l'essence et le détail. Si c'est, en effet, la culture qui définit les variations du beau en fonction des époques et des lieux, l'idée de beauté lui est antérieure. Nous naissons avec cette obsession, à telle enseigne que les petits enfants sont naturellement attirés par les belles personnes et révulsés par les laids.

Déodat n'avait connu autour de lui que le joli visage de sa mère et la douce face de son père. Pour la première fois, il découvrait qu'une figure pouvait dire l'horreur – et, au même instant, il apprenait que c'était la sienne. Lui qui se croyait élu se voyait révéler l'envers d'une élection, à moins que ça n'en constituât le secret motif. Même si cela n'avait pas été lui, il eût hurlé de douleur. Mais que ce fût lui créait dans sa poitrine un inépuisable réservoir de souffrance.

Énide reposa le bébé en pleurs dans le parc. Et là, un miracle se produisit. Déodat eut l'intuition qu'il ne fallait en vouloir à personne. Tout être qui vit un traumatisme aussi cruel est confronté à un choix obscur : soit il décide de haïr l'univers pour lui avoir réservé une place aussi injuste, soit il décide d'être un objet de pitié pour l'humanité. Rarissimes sont ceux qui optent pour la porte étroite de la troisième voie : reconnaître l'injustice pour telle, ni plus ni moins, et n'en tirer aucun sentiment négatif. Ne pas nier la douleur de sa condition, mais n'en conclure strictement rien.

Il pleura encore très longtemps pour supporter le choc et, cependant, le pire était passé. La grande voix dans sa tête lui disait : « Je suis repoussant, voilà. Je n'en suis pas moins tout ce que je suis, celui qui voit dans son cerveau des paysages captivants, celui qui se réjouit d'exister, celui qui connaît l'intelligence et la volupté et qui peut être interminablement joyeux de ce constat. »

Il faut parfois bénir les malentendus entre parents et enfants : si Énide avait compris les pleurs du bébé, elle aurait tenté de le consoler et elle lui aurait dit de gentilles choses qui non seulement ne l'auraient pas aidé, mais l'auraient enfoncé : « Tu n'es pas si laid, tu es différent, ce n'est pas grave, je t'aime comme tu es. » Heureusement, elle ne prononça aucune de ces paroles ravageuses et Déodat put composer avec la terrible vérité et inventer un excellent *modus vivendi*.

La souffrance et l'injustice ont toujours existé. Avec les meilleures intentions, celles dont l'Enfer est pavé, l'époque moderne a sécrété d'atroces pommades verbales qui, au lieu de soigner, étendent la superficie du mal et font comme une irritation permanente sur la peau de l'infortuné. À sa douleur s'ajoute un nuage de moustiques.

Ce jour-là, Honorat offrit à son épouse un bouquet de lis blancs : elle en fut si émue qu'elle ne songea pas à raconter à son mari l'événement du miroir et des larmes, ce qui évita au père de prononcer des paroles maladroites. Il faisait chaud. Le parfum des lis en prit une ampleur incomparable et parvint aux narines de l'enfançon. Il s'en exalta et eut l'intuition d'un amour différent de celui qu'il éprouvait pour sa mère : un amour autre, sans mesure, qui s'éveillerait à la vue de la plus extrême beauté, et dont l'enchantement enivrerait comme la fragrance des fleurs.

Le père, qui en était resté à la célébration de la première phrase, fit remarquer à sa femme : « Il a raison. Cette robe te va bien. »

Énide se rappela brusquement la déclaration de son fils. Pourquoi l'avait-elle oubliée ? Que s'était-il passé ? Le souvenir des larmes et du miroir défila dans sa tête mais elle décida que cela ne méritait pas d'occulter le baptême de la première phrase.

Déodat fut soulevé et acclamé par Honorat qui l'appela « petit génie ».

— Pourquoi ? demanda le bébé.

Stupéfaction des parents. « Il a dit pourquoi ! Il a dit pourquoi ! »

L'enfant comprit qu'il fallait ménager son père autant que sa mère : cette espèce s'extasiait pour un rien.

Sur l'autre rive de la Seine, un jeune couple nouvellement établi non loin de la gare d'Austerlitz mit au monde une petite fille. Le père s'appelait Lierre, la mère s'appelait Rose. Ils nommèrent le bébé Trémière.

— Vous êtes sûrs de ce prénom ? interrogea l'infirmière.

— Oui, dit l'accouchée. Mon mari porte un nom de plante grimpante et moi celui d'une rose. Une rose qui grimpe, c'est une rose trémière.

Découragée face à une telle détermination, l'infirmière inscrivit Trémière sur le bracelet. Au moment de le nouer autour du poignet, elle regarda le visage de la petite et ne put retenir un cri :

— Que tu es belle !

Trémière n'avait pas la figure rouge et chiffonnée des nouveau-nés : sa tête était lisse et blanche comme une fleur de coton, aucune convulsion ne secouait ses traits de poupée de porcelaine.

Les gens qui vinrent effectuer leur visite de politesse à la maternité furent aussitôt sous le charme.

— Vous l'avez bien réussie ! dirent-ils aux parents, émerveillés d'un succès si facile.

Il y eut quelques fâcheux pour déplorer le prénom, mais ils concluaient toujours ainsi :

— Bah ! Elle est si belle que n'importe quel prénom lui irait.

Lierre inventait des jeux vidéo, Rose dirigeait une galerie d'art dans le nouveau quartier branché de Chevaleret. Ils avaient vingt-cinq ans, ils n'avaient pas de temps à accorder à leur bébé. Un mois après l'accouchement, la jeune mère reprit son travail et confia la petite à sa mère, qui habitait une ruine somptueuse à Fontainebleau.

— Tu es sûre que c'est une bonne idée ? lui demanda Lierre.

— C'est là que j'ai grandi, élevée par ma mère, répondit Rose.

— La maison et la mère s'effondraient moins à l'époque.

— Je souhaite à ma fille une enfance aussi féerique que la mienne.

La mère de Rose s'appelait Passerose, autre nom de la rose trémière. Elle s'éprit de sa petite-fille au premier regard :

— Je ne pensais pas qu'il était possible d'être encore plus belle que Rose, dit-elle à l'enfançonne.

Personne ne connaissait l'âge de Passerose. Cette ignorance renforçait l'idée qu'elle venait d'une époque radicalement autre, où les papiers d'identité n'existaient pas et où les filles de seize ans hésitaient entre les carrières de fée ou de sorcière. Passerose semblait ne pas avoir choisi qui tenait autant de la sorcière que de la fée.

Rose n'avait jamais connu son père, ni même su son nom. Quand elle interrogeait sa mère à ce sujet, elle n'obtenait pas d'autre réponse que :

— Je l'aimais. Il est mort à la guerre.

— Quelle guerre ? Les Français ne faisaient pas la guerre au temps de ma naissance.

— Les Français font toujours la guerre quelque part.

— Parle-moi de lui.

— Je ne peux pas. C'était un trop grand amour.

Parfois, Rose soupçonnait Passerose de l'avoir inventé. Il n'en demeurait pas moins qu'elles habitaient un palais qui leur avait été légué par ce père et dont la propriété ne leur fut jamais contestée.

Enfant unique, Rose avait passé de nombreux après-midi dans un grenier sardanapalesque à fouiller dans des coffres et à s'imaginer une ascendance royale. Il y avait là des lettres d'amour adressées à sa mère, plus sublimes les unes que les autres, aux signatures indéchiffrables et aux calligraphies nombreuses. La petite fille se demandait si elles émanaient de plusieurs hommes ou d'un seul homme qui aurait éprouvé pour Passerose toutes les formes d'amour. Elle ne trouva aucun portrait : les traces n'étaient qu'écriture.

Le mystérieux père n'avait guère laissé d'argent. Passerose s'improvisa chiromancienne pour ne pas mourir de faim. Les clients arrivaient dans cette demeure incroyable qui s'effondrait pendant les séances de voyance – la médium ne manquait jamais de déclarer qu'il s'agissait d'un signe. On la croyait. La mise en condition relevait du chef-d'œuvre : ils arrivaient dans un boudoir en ruine, étaient reçus par une femme au visage indécidable, aussi belle que laide, aussi jeune que vieille, aussi douce que terrible, qui les invitait à s'asseoir et qui ouvrait leur main avec autant de délicatesse que si elle tournait la page d'un incunable. Elle regardait longtemps, d'un air doulou- reux, la paume de celui que cette lenteur angoissait et finissait par prédire des événe- ments d'une positivité extrême, tandis qu'un lambris s'écroulait. Elle terminait toujours la séance par cette formule :

— Vous êtes protégé.

La personne payait et s'enfuyait, de peur que l'oracle change d'avis.

Rose lui demandait parfois si cela l'amu- sait de se moquer du monde.

— Qui te dit que je me moque ?

— Je t'ai déjà observée, cachée derrière les rideaux. Tu racontes n'importe quoi, cela se voit.

— Plus exactement, j'ouvre la bouche et j'écoute ce qui sort. Je ne connais pas la région de moi qui parle.

— Maman, tes prophéties se vérifient- elles ?

— Aucune idée. Je n'ai jamais reçu de réclamations. Et comme je n'annonce que des bonheurs et des triomphes, je fais plaisir.

— Ce n'est pas très honnête.

— Pas d'accord. Cent pour cent de mes clients repartent heureux.

— Me lirais-tu les lignes de la main, à moi ?

— À ma propre fille ? Ton visage me suffit à t'affirmer qu'un grand destin t'attend.

Passerose travaillait au noir : si elle avait dû payer des impôts, elle n'aurait pas pu conserver le palais. À l'école, dans la case « profession des parents », Rose inscrivait, « père décédé, mère veuve ». Elle avait encore plus honte du pléonasme que de la nature de l'emploi déclaré. Apitoyés par sa condition d'orpheline, les enseignants ne poussaient jamais plus loin l'interrogation.

Il faut reconnaître que Passerose avait les caractéristiques de la veuve archétypale : toujours vêtue de noir, le visage noblement désolé, le célibat farouche, une propension à être perdue dans ses pensées. Un jour qu'elle mettait à la porte un prétendant, Rose entendit sa mère dire :

— Vous seriez moins arrogant si vous saviez à qui vous souhaitez succéder !

La fille trouva cette réplique digne d'Angélique, marquise des Anges.

— Maman, est-ce que je lui ressemble ? intervient-elle.

— À qui ?

— À celui auquel ce type voulait succéder.

— Tu continues à m'espionner !

De fait, elle espionnait. Elle se l'expliquait par le mystère exagéré qui l'entourait. Très vite, elle apprit à y trouver du plaisir. L'énigme l'exaltait. Fouiller le grenier, en extraire mille extravagances et autant de secrets, ne jamais obtenir de réponse exercèrent son regard et son esprit.

Adulte, elle n'expliquait pas autrement sa passion pour l'art contemporain : la frustration générée par ces œuvres lacunaires lui rappelait sa fascination et cette insatisfaction enfantines.

Placer sa fille chez sa mère équivalait pour Rose à lui léguer la poursuite de l'enquête : « Cela t'éveillera l'intelligence, mon bébé. »

Ce ne fut pas ce qui se produisit.

Dès qu'elle arriva dans cet univers de conte de fées, l'enfançonne adopta une attitude qui devait être la sienne pendant une vingtaine d'années : la pâmoison. Au lieu de se demander, comme Rose, ce que tout ceci cachait, elle ne se demanda rien. Le monde stupéfiant de Passerose n'eut pas d'autre effet que de surdévelopper, chez Trémière, la capacité d'ahurissement.

La grand-mère posait la petite dans son parc, au milieu d'un salon immense, dont l'effondrement partiel accentuait la splendeur, et partait vaquer à ses occupations. Chaque fois qu'elle passait par la pièce, elle constatait que le bébé n'avait ni bougé ni changé d'expression.

« Que tu es sage ! » disait l'aïeule. Quand elle la prenait dans ses bras, Trémière la contemplait avec une admiration fixe qui aurait dérangé n'importe qui mais qui ravissait Passerose : « J'ai toujours rêvé d'être regardée comme cela. »

Entre la grand-mère et la petite-fille, ce fut l'amour fou. La vieille dame s'en voulait un peu d'aimer Trémière infiniment plus que sa propre fille, mais elle n'y pouvait rien. « Ce n'est pas comme si je n'avais pas aimé Rose », se rassurait-elle. Il en alla de même pour l'enfant, qui certes aimait cette mère qu'elle voyait de temps en temps, mais qui d'emblée voua à Passerose une ferveur absolue.

La petite fut lente à parler, comme elle fut lente à tout. Elle approchait des deux ans quand elle prononça enfin ses premiers mots :

— Je t'aime, dit-elle à l'aïeule.

Passé le choc, la vieille dame ne put s'empêcher de demander :

— Qui aimes-tu ?

— Je t'aime, grand-maman.

Celle à qui s'adressait cette déclaration prit l'enfant et la serra dans ses bras sans pouvoir la lâcher. Cet amour ne ressemblait à aucun de ceux qu'elle avait éprouvés : il l'emportait non seulement par l'intensité, mais aussi par la nature. Elle sentait une source qui coulait de sa poitrine à celle de l'enfant et qui lui revenait encore plus exquise.

— C'est toi qui m'as appris que l'on pouvait aimer ainsi, dit-elle.

Quand Rose venait leur rendre visite, Passerose s'efforçait que tout ait l'air normal. Elle avait enseigné à Trémière un compliment à réciter par cœur quand elle serait en présence de sa mère. Sur un geste de l'aïeule, elle ânonna :

— Je t'aime, maman.

— Tu parles, toi ?

— Oui. Et tu entends ce qu'elle te dit ?

— C'est bien, dit Rose qui avait senti la leçon apprise et l'absence de conviction. Et que dis-tu d'autre ?

— C'est un début, ma fille. Un peu de patience.

Rose s'isola quelques instants avec sa mère :

— À son âge, je parlais déjà depuis long-temps, non ? Et je marchais ?

— Il ne faut pas comparer. Chaque enfant a son rythme.

— D'accord. Quel est le talent particu-lier de ma fille ?

— La contemplation.

— Tu es sûre que tu ne dis pas ça pour masquer autre chose ?

— Sûre. Je l'ai observée. Elle contemple avec une intensité extraordinaire.

Rose ne restait jamais longtemps. Elle se sentait de trop. Quand elle s'en allait elle soupirait de soulagement : « Bénie soit maman ! Je crois que je ne suis pas faite pour être mère. Je ne parviens pas à m'extasier sur cette petite, je trouve qu'elle a l'air bête. »

— C'est vrai que tu pourrais marcher, dit l'aïeule. On essaie ?

Elle posa la petite par terre, debout, sans lui lâcher les mains, et l'incita à mettre un pied devant l'autre. Le résultat fut médiocre. Tout se passait comme si l'enfant ne s'intéressait pas à l'exercice.

Passerose s'installa à cinq mètres de Trémière et ouvrit les bras :

— Viens, ma chérie.

La gosse vint à quatre pattes. Ce n'était pas la solution.

La grand-mère eut alors l'idée de marcher à côté de l'enfant en lui tenant une main : « On part en promenade. » Trémière comprit que cette activité la liait à grand-maman et nécessitait un savoir-faire particulier. Elle marcha sans l'ombre d'une difficulté, tendant le bras vers le haut en direction de celle qu'elle aimait, savourant la pression de cette main sur la sienne.

La promenade les conduisit dans le jardin qui consistait en une sylve à l'abandon. Il y avait trop d'arbres pour que de l'herbe puisse pousser entre les troncs : la mousse et les feuilles mortes recouvraient le sol. Au printemps, l'anémone sauvage y fleurissait.

— Les gens me reprochent de ne pas m'occuper assez du jardin, déclara la vieille dame à sa très jeune accompagnatrice. C'est que, vois-tu, je ne suis pas bûcheron. Et je n'ai envie de me débarrasser d'aucun de ces arbres. Ils sont tellement beaux, n'est-ce pas ? «Ils vous mangent votre lumière», me dit-on. Préférer la lumière aux arbres, cela me paraît aussi absurde que de préférer l'eau aux fleurs.

La vérité était qu'on ne lui faisait plus ce genre de remarques depuis très longtemps. Les clients – est-ce le mot ? – qui venaient la consulter au sujet de leur avenir partaient du principe qu'en ces lieux, rien n'était normal et surtout pas la maîtresse de maison. Dès qu'ils entraient dans le domaine, la peur les saisissait. Même l'amabilité de Passerose ne les rassurait pas. Et la présence d'une enfançonne irréelle de beauté accroissait leur inquiétude. Pour ne rien arranger, la voyante affirmait qu'à son âge elle était son portrait craché. On ne pouvait alors que scruter la face malmenée de la dame et s'interroger sur l'ampleur du traumatisme qui l'avait endommagée. Non qu'elle fût laide, loin de là. Mais on ne pouvait pas simplement dire d'elle, comme on le dit de tant d'aïeules, qu'elle avait dû être très belle. On se disait qu'elle avait dû être très belle et qu'il avait dû se produire un cataclysme que le naufrage commun du passage des ans ne pouvait expliquer. On avait l'impression que ce visage avait été exposé à quelque spectacle indicible qui en avait changé la nature.

Certaines personnes avaient pitié de la toute petite fille qui vivait seule dans cette ruine avec une sorcière. Elles devaient pourtant admettre qu'elle semblait heureuse et en bonne santé. « L'enfance est un miracle », pensait-on. « On peut partager le quotidien d'une vieille folle et s'en accommoder. »

Trémière faisait mieux que cela. Elle avait conscience de l'exceptionnalité de sa grand-mère : la comparaison avec sa mère était éclairante. D'instinct, elle sut qu'il fallait donner le change : si, d'une manière ou d'une autre, elle signalait la bizarrerie de Passerose, elle risquait de lui être enlevée. Les rarissimes fois qu'elle quittait le domaine, elle était épouvantée par l'insignifiance du monde ordinaire.

— Grand-maman, je veux rester toujours avec toi, déclara-t-elle à deux ans.

C'était autant une parole d'amour qu'un choix.

La laideur d'un enfant désarçonne beaucoup plus que celle d'un vieillard. Même ceux qui n'ont pas vécu se doutent que cette aventure réserve d'horribles surprises et qu'on en sort altéré. Que dire de celui qui n'a pas eu besoin de traumatismes pour être atroce ? On ne peut pas le qualifier de défiguré, il est né comme cela. Dans le cas d'Elephant Man, on explique la monstruosité par un drame survenu lors de la grossesse. Énide n'avait pas connu de choc particulier quand elle était enceinte : la sale gueule de Déodat décourageait toute tentative de compréhension.

On eut beau retarder au maximum sa scolarisation, il fallut se résoudre à l'envoyer au CP à l'âge de six ans. Les parents eurent tellement peur des persécutions qui l'attendaient qu'ils préférèrent ne pas l'en avertir. Ils misèrent sur l'intelligence de leur fils, qu'ils savaient très supérieure à la leur. Ils furent bien inspirés.

Le premier jour d'école eut de quoi le dégoûter du genre humain. Déodat n'avait jamais fréquenté d'enfants de son âge : il s'était vaguement attendu à rencontrer ses *alter ego*, des êtres qui l'auraient compris, des frères. Il découvrit une bande de brutes d'une méchanceté et d'une bêtise atterrantes. Non seulement aucun élève ne lui adressa la parole, mais tous parlèrent de lui en sa présence :

— Tu as vu celui-là ?

— Il est trop moche !

— Moi, je m'assieds pas à côté de lui !

Quand l'instituteur fit la liste des présences, on apprit son prénom.

— Déodorant ! cria un gosse.

La classe éclata de rire. On ne l'appela dès lors que Déodorant.

L'instituteur essaya d'y mettre bon ordre, sans conviction, hélas. Lui-même semblait s'empêcher de rigoler.

En plus, la majorité des mômes se connaissaient depuis l'école maternelle. Un esprit de corps et une hiérarchie sévissaient déjà. Ce ne fut pas pour favoriser l'accueil du nouveau.

Après les présentations, il y eut une première récréation. Déodat, qui n'avait plus d'espoir du côté des garçons, tenta d'approcher le groupe des filles. Elles s'enfuirent en poussant des hurlements de terreur. Il en entendit une qui criait :

— Celui-là, s'il me touche, je vomis !

L'intrus passa le reste de la demi-heure à observer les activités des enfants et à se rendre compte qu'il souffrait. Il savait la cause de son supplice : lui aussi, quand il se voyait dans le miroir, il avait envie de se fuir. « Moi, je peux facilement ne pas me regarder. Eux y sont obligés », comprit-il.

Il parvint à ajourner son mépris : « La première fois que je me suis vu, j'ai réagi comme eux. Ils vont peut-être s'habituer. »

De retour en classe, il subit l'ostracisme avec une indifférence moins feinte qu'au début. L'instituteur remarqua son courage et l'admira.

À la fin de la journée, Énide vint le chercher. Il se jeta dans ses bras et la serra si fort qu'elle soupçonna le désastre. Elle n'osa pas le questionner. Tandis qu'ils rentraient chez eux main dans la main, l'enfant demanda :

— Qu'est-ce que c'est, déodorant ?

— Quelqu'un t'a dit que tu sentais mauvais ? s'insurgea la mère.

— Non, répondit-il avec inquiétude. C'est un mot que j'ai entendu.

— Je t'expliquerai à la maison.

Dont acte. Il contempla le stick, enleva le bouchon, respira la roulette : cela sentait la vanille. Il lut ce qui était inscrit dessus.

— Je ne comprends pas à quoi ça sert.

Énide mima le geste et expliqua l'utilité de l'objet.

— Mais tu es trop jeune pour en avoir besoin, continua-t-elle.

Déodat enregistra ces données et décida que ce surnom n'était ni positif ni négatif : il s'en accommoderait. Il n'était pas dupe des intentions malveillantes des autres, mais il feindrait de ne pas les remarquer.

Le lendemain, l'instituteur s'aperçut que l'enfant lisait à la perfection.

— Qui t'a appris ?

— Personne.

— Et écrire ?

— Je n'écris pas comme vous.

— Montre.

Déodat traça les lettres en caractères d'imprimerie : il les reproduisait telles qu'il avait pu les lire et s'étonnait de l'écriture cursive de l'adulte. Preuve que le gosse avait appris seul.

— Je t'enseignerai l'écriture cursive, d'accord ? C'est plus beau.

« Et comme ça, tu verras moins la cruauté des mômes », pensa-t-il.

Les enfants comprirent que la monstruosité de leur condisciple n'était pas uniquement physique. Déodat ne la mit pas en avant. Il n'eut aucune des attitudes que l'on prête aujourd'hui aux enfants surdoués : il était trop intelligent pour penser qu'il ne lui restait rien à apprendre. Même quand il savait, il s'intéressait à la manière dont l'instituteur expliquait. Et lorsqu'il n'écoutait pas, il observait les élèves à la dérobée : un instinct le poussait à la camaraderie. Ceux qui le huaient en groupe, pris isolément ne semblaient pas disposés à le détester. La récréation n'était pas le moment le plus opportun pour s'approcher d'eux, qui cessaient alors d'être des individus pour devenir une cohorte. L'idéal consistait à échanger quelques paroles banales pendant la pause. L'enfant répondait au pestiféré sans craindre de lui être associé. Peu à peu, l'exclu eut établi ce genre de contact anodin avec chaque élève. Deux mois plus tard, il jouait avec les autres dans la cour, sans que le groupe ait remarqué son stratagème.

L'agressivité à son égard n'avait pas disparu pour autant. Un jour que l'instituteur le félicitait pour ses performances en calcul, un petit pervers répéta haut et fort un slogan publicitaire :

— Déodorant hyperperformant, vingt-quatre heures sans transpirer !

La cible eut l'habileté d'éclater de rire avec la classe entière. Moyennant quoi, la moquerie disparut très vite. Le sobriquet ne tarda pas à être écourté en Déo, qui pouvait passer pour le diminutif de son prénom véritable.

Autre facteur d'exclusion, Déodat était le seul de l'école à ne pas avoir chez lui de téléviseur. Il interrogea ses parents à ce sujet, qui se montrèrent inflexibles : à les entendre, la télévision était l'invention du Diable. Leur fils, qui voulait s'en rendre compte par lui-même, manœuvra en stratège. Il examina chaque élève comme un général passe ses troupes en revue et décida de s'adresser à Axel :

— Si je te fais ton devoir de calcul, je

peux venir regarder la télé chez toi mercredi après-midi ?

Plutôt content d'échapper à la perspective d'une mauvaise note, Axel accepta. Déodat annonça à sa mère qu'il était invité chez un copain le mercredi suivant, Énide s'en émerveilla :

— Tu as un copain ?

Elle se rendit compte aussitôt de ce que son enthousiasme avait d'insultant et affecta de ne pas s'émouvoir d'un phénomène aussi normal.

Au jour dit, la maman d'Axel réprima un haut-le-cœur en rencontrant le fort en thème et mit sa sale gueule sur le compte de la bosse des maths. Le devoir de calcul expédié, les deux enfants s'installèrent devant un somptueux téléviseur et regardèrent les fameux programmes du mercredi après-midi.

À sa honte, car il eût préféré réagir comme ses parents, Déodat adora. Il suffisait de se laisser emporter par ce tapis volant de lumière et de son, on était embarqué dans un monde peuplé de personnages fabuleux, dont les péripéties étaient racontées à une vitesse supersonique, avec des onomatopées étranges et des refrains au goût de bonbons. Au nom de quoi le privait-on de cet enchantement ?

Axel n'était pas très malin. Il semblait tenir de sa mère, qui passa l'après-midi dans la pièce d'à côté à marmonner au téléphone, ou plutôt à croire qu'elle marmonnait car Déodat n'avait qu'à tendre l'oreille pour entendre : «Je te jure, un vrai petit monstre. Axel ne s'en aperçoit pas parce qu'il est un enfant. Tu crois que je dois prévenir mon mari ? »

Manifestement, elle s'en abstint, car vers dix-huit heures entra un homme qui s'exclama :

— C'est quoi ce troll ?

— Bonsoir monsieur, répondit l'insulté avec une politesse appuyée.

Une demi-heure plus tard, Énide vint rechercher son fils. Rien qu'à la manière dont les parents d'Axel la dévisagèrent, elle sut que le physique de son enfant avait fait grande impression. «Non, ce n'est pas génétique», fut-elle tentée de leur dire.

— Tu as aimé ton après-midi, mon chéri ? demanda-t-elle en chemin.

— Oui. Est-ce que je peux retourner chez Axel mercredi prochain ?

Elle y consentit. Ce devint un rituel heb-
domadaire. L'énigme s'approfondit : comment des gens qui possédaient un téléviseur
aussi magique et qui passaient à le regarder le plus clair de leur temps pouvaient-ils
demeurer bêtes et pire que bêtes, vulgaires
et médiocres ? Comment les prodigieux
dessins animés ne leur élevaient-ils pas l'esprit ? Déodat voulut en savoir davantage et
demanda à Axel s'il pouvait dormir chez lui.

— Pas de problème, répondit le copain.

Le mercredi suivant, Énide ne vint pas
chercher son fils à dix-huit heures trente
et l'enfant découvrit enfin le déroulement
d'une soirée chez les autres. Ce fut fantas-
magorique : on resta tout le temps devant
la télévision. Vers vingt heures, la maman
commanda une pizza qui ne tarda pas à
être livrée et qu'elle servit sur des plateaux :
ainsi, on ne dut pas s'attabler et on n'inter-
rompit pas la contemplation.

Les programmes, en revanche, changèrent et devinrent moins bien. On vit de
vraies personnes. Elles disaient des choses
d'un intérêt contestable. Elles avaient un
parler très laid qui semblait impressionner
la famille d'Axel. Parfois, la maman demandait si quelqu'un voulait une nouvelle part

de pizza. Le père tendait son assiette tout en intimant le silence de l'autre main.

Déodat essaya de se concentrer sur ce qui était dit. À peine commençait-il à comprendre le sujet abordé que celui-ci changeait. L'unique point commun entre chaque thème était un genre d'ennui sinistre.

Des publicités plutôt amusantes interrompirent ce pensum, mais après ce fut pire. Il y eut une dispute entre plusieurs individus qui parlaient chacun au nom de la France comme si elle leur appartenait. Il avait dû se passer quelque chose de grave dans un épisode précédent.

— Ça t'intéresse ? chuchota Déodat à l'oreille d'Axel.

En guise de réponse, celui-ci haussa les épaules d'un air vaseux.

— On va se coucher ? suggéra l'invité.

Le père les fit taire d'un geste. Les deux enfants filèrent dans la chambre d'Axel.

— Vous regardez la télévision tous les soirs ? demanda Déodat.

— Mes parents aiment être informés.

— Mais toi, ça t'embête, non ?

— Oh, tu sais, répondit-il avant de poser sa tête sur l'oreiller et de s'endormir.

Cette attitude le plongea dans une perplexité profonde. Comment le copain pouvait-il supporter de s'ennuyer à ce point ? Il ne semblait pas obligé de rester là : ils avaient eu le droit de s'en aller sans demander la permission. Alors pourquoi subissait-il cette émission ?

La chambre d'Axel regorgeait de jouets. Depuis le temps que Déodat venait chez lui chaque mercredi, jamais ils n'avaient joué avec aucune de ces merveilles. S'il n'avait pas eu peur de réveiller le copain, il aurait ouvert ces boîtes bien rangées, il aurait touché ces objets de désir, Lego, voiture Batman, soldats Duplo. Il osa penser qu'Axel n'était peut-être pas très malin. Et il n'exclut pas que l'omniprésence de la télévision ait joué un rôle dans cette affaire. Non que les programmes soient forcément en cause. C'était comme si l'appareil lui-même avait capturé la volonté d'Axel.

Le lendemain, il éprouva du soulagement à aller à l'école, qu'il n'aimait guère, pourtant. Il eut l'impression de rejoindre un monde préservé du néant. Il entendit à la cantine Axel dire des horreurs sur lui (« Il mange salement, il ne se déshabille pas pour dormir») et vint lui demander la cause de cette trahison.

— Oh, tu sais, répondit l'ex-copain avec un haussement d'épaules, c'est pour dire quelque chose.

— Je ne viendrai plus chez toi le mercredi.

— Pourquoi?

Déodat sut que le problème d'Axel dépassait de beaucoup la bêtise. Il devait y avoir un rapport avec la télévision, sans qu'il puisse en voir la nature. Il ressentit un peu de peine à l'idée de ne plus voir les fabuleux dessins animés.

Ses parents s'inquiétèrent de la fin de ce qu'ils avaient pris pour une amitié.

— C'est si grave, ce qu'il t'a fait?

— Non.

— Alors pardonne-lui.

— Je lui pardonne. Ce n'est plus comme avant, c'est tout.

La notion d'amitié n'avait pas encore effleuré l'enfant. Il n'en éprouvait pas un besoin particulier. En cela, il se conduisait noblement : l'amitié n'apparaît pas pour combler un appétit. Elle surgit quand on rencontre l'être qui rend possible cette relation sublime.

Déodat voyait qu'à l'école, certains élèves étaient amis. Il interprétait cela comme un pacte, une loyauté. Cela lui inspirait du respect, sans plus. Par ailleurs, même s'il n'en avait guère souffert, il avait su le prestige qu'Axel avait tiré de ses médisances à son sujet. De voir que tant d'enfants s'étaient pourléchés d'une telle bassesse ne lui donnait pas envie de se rapprocher de l'un d'entre eux.

Un jour qu'il jouait dans la cour à la balle aux prisonniers, il reçut sur la tête une fiente d'oiseau. Il ne comprit pas tout de suite ce qui s'était passé. Les hurlements de rire des autres le renseignèrent. Il courut aux toilettes se regarder dans le miroir et vit qu'une substance blanchâtre recouvrait ses cheveux. Il n'osa pas y mettre les doigts. À sa stupéfaction, une joie immense s'empara de lui. Tandis qu'il rinçait sa chevelure sous le robinet, il essaya d'analyser son excitation : « Nous étions une centaine et c'est tombé sur moi. L'oiseau m'a choisi. »

D'instinct, il sut qu'il fallait garder pour lui cette interprétation. Si la classe savait que cette malchance lui apparaissait comme une élection, son compte était bon. Il avait conscience qu'il ne risquait pas de convaincre qui que ce soit de son explication. Pour autant, il n'en doutait pas.

Si Déodat avait été un apprenti messie, il aurait traduit ce signe en termes de symbole divin. Mais il avait cette tendance rare à voir les choses pour ce qu'elles étaient et à les trouver formidables pour cela. Il vécut cet épisode comme une illumination. Un monde nouveau s'ouvrait à lui : celui des oiseaux.

Il regretta de ne pas avoir eu le réflexe de regarder le fienteur. Il ne savait même pas s'il s'agissait d'un pigeon, d'un moineau ou d'une autre espèce.

Lui que les humains commençaient à décourager se réjouissait de recevoir une invitation si claire à lever les yeux vers les véritables habitants du ciel. Pourquoi inventer la figure de l'ange alors que l'oiseau existe ? La beauté, la grâce, le chant sublime, le vol, les ailes, le mystère, cette gent avait toutes les caractéristiques du messager sacré. Avec cette vertu supplémentaire qu'il n'était pas nécessaire de l'imaginer : il suffisait de la regarder. Mais regarder n'était pas le fort de l'espèce humaine.

« Ce sera le mien. C'est déjà le mien », décida Déodat. Contempler cette stupéfiante catégorie du réel qui vivait quelques mètres au-dessus de nous. Il ne s'agissait pas d'observer l'inobservable : même sans jumelles, l'oiseau s'offrait à la vue. Sans grand rapport avec notre race et pourtant sans lui être exagérément étrangère, l'espèce aviaire accomplissait ce prodige d'une civilisation parallèle, d'une coexistence pacifique.

De retour dans la cour, l'enfant scruta les branches des marronniers. Il vit les passagers ailés de Paris : piafs, pigeons, et d'autres dont les noms lui étaient encore inconnus. Il se jura d'apprendre à identifier chacun.

— Déo, tu joues ? cria un môme.

Il rejoignit la partie de balle aux prisonniers où il marqua contre son camp plusieurs fois d'affilée. On finit par l'exclure.

Incapable de penser à autre chose qu'à sa conversion, il attendit la sortie avec une impatience douloureuse. Dès que retentit la sonnerie libératrice, il courut jusqu'à la rue où sa mère, fidèle au poste, lui ouvrit les bras.

— Avons-nous à la maison un livre sur les oiseaux ?

— Non.

61

Le visage de l'enfant se décomposa. Énide eut heureusement le bon réflexe :

— Dans le dictionnaire, tu verras sûrement des oiseaux.

La planche « Oiseaux » de l'antique *Larousse illustré* emplit les yeux de Déodat de sa richesse. Il resta couché sur le ventre pendant des heures à la contempler, en proie à un émerveillement absolu.

Le dictionnaire avait réuni en une page toutes les familles aviaires. Passereaux, rapaces, échassiers, palmipèdes se chevauchaient en un foisonnement que la nature n'aurait pas permis. C'était une œuvre d'art, une profusion de couleurs et de grâce.

Le petit garçon eut l'instinct scientifique de regarder aussi les autres planches du *Larousse* : il s'offrit les félins, les poissons, les dinosaures, les serpents – aucun doute, seule la planche des oiseaux lui produisait cet effet. Il y avait pourtant au moins autant de couleurs sur la planche des poissons, mais il ne ressentit aucune attirance pour ces espèces aux faces perplexes ou contrariées.

L'illustrateur du dictionnaire avait donné aux oiseaux des expressions énigmatiques, mais intraduisibles en termes d'humeurs humaines : les poissons tiraient la gueule, les oiseaux conservaient leur mystère.

Il regarda aussi aux entrées des espèces répertoriées sur la planche. Joie ! Dans sa générosité, le *Larousse* montrait, à l'entrée « Merle », un spécimen mâle et son épouse la merlette, à l'entrée « Mésange » la mésange bleue – ces pages regorgeaient d'oiseaux. Il fallait les feuilleter toutes sans exception : on ne savait jamais sur quelle espèce secrète on allait tomber entre deux feuillets, comme un promeneur découvre un envol entre deux taillis.

Auparavant, Énide devait venir réveiller son fils à sept heures du matin afin qu'il se prépare pour l'école. Désormais, elle trouvait l'enfant déjà éveillé, couché sur le tapis du salon devant le dictionnaire ouvert. À chaque fois, elle lui demandait depuis combien de temps il était levé. La réponse ne différait jamais :

— Je ne sais pas.

— Je préférerais que tu dormes, mon chéri. Tu en as besoin.

— J'ai encore plus besoin des oiseaux.

— Tu les connais tous, maintenant.

— Non. Il y a aussi ceux qui ne sont

pas dessinés. Et puis ce n'est pas seulement pour les découvrir. C'est d'abord pour être avec eux.

Une voisine apprit la passion du fils du cuistot pour les oiseaux. Elle proposa au petit de venir chez elle voir son canari. Déodat retourna chez lui en proie à l'indignation la plus forte.

— Maman, Johnny est dans une cage ! Madame Bouton est un monstre.

— Les gens qui ont des oiseaux les mettent forcément dans une cage. Sinon, ils s'enfuient et ils meurent. Le climat d'ici ne leur convient pas.

— Alors, il faut les ramener dans leur pays.

— Ce n'est pas possible.

L'enfant demeura longtemps prostré, incrédule. Le sadisme de ses congénères le révulsait.

Énide, qui était sur le point d'acheter des bengalis en guise de cadeau de Noël pour son fils, éprouva un profond soulagement à l'idée d'éviter une erreur pareille. Elle se procura dans une librairie *Les Oiseaux du monde*, publié chez Bordas.

Et ce fut ainsi que, pour le Noël de ses six ans, Déodat reçut le livre qui devait lui tenir lieu de bible. Le guide répertoriait d'abord les quatre-vingt-dix-neuf espèces de non-passereaux avant d'explorer les soixante-quatorze espèces de passereaux : taxinomie pour le moins bizarre mais qui ne perturba pas le jeune lecteur.

Cette classification absurde s'expliquait sans doute par le fait que, pour la plupart des gens, l'amour des oiseaux correspondait en réalité à l'amour des passereaux. En effet, comment ne pas éprouver de tendresse envers les mésanges, les fauvettes, les bouvreuils et les rouges-gorges ? Déodat les adorait, mais pas plus que les rapaces ou les colombidés. Il découvrit ultérieurement que les psittacidés et surtout les palmipèdes étaient pour beaucoup d'humains des sujets de moquerie. Ainsi, des culs-terreux s'autorisaient à tourner en dérision d'aussi nobles familles : il n'en revint pas. Décidément, il n'y avait pas de limites à la bassesse des hommes. Qui a vu la splendeur d'un escadron d'oies sauvages ne peut que s'incliner devant ces aristocrates du ciel.

Les oies n'étaient pas les seules victimes de l'imbécile mépris humain. Déodat apprit qu'une grue était synonyme de femme vulgaire, qu'un canard renvoyait à une grande variété de comparaisons grotesques, comme sa malheureuse cousine la dinde. Il poussa plus loin son étude et trouva quelque soulagement en constatant qu'il s'agissait surtout d'un vice de la langue française. En anglais, la dinde s'appelait *turkey*, ce qui lui valait la révérence due à la Sublime Porte. En japonais, le canard se nommait *kamo*, ce qui sonnait proche de la divinité, et la grue, qui portait le beau nom de *tsuru*, était carrément l'objet d'un culte.

Il y aurait une thèse à écrire sur le besoin qu'a éprouvé le français de ridiculiser ces animaux splendides. D'instinct, Déodat soupçonna que la jalousie devait y avoir joué un grand rôle. Depuis le siècle de La Fontaine, on sait que susciter l'envie porte malheur, en France plus qu'ailleurs.

En compensation, le fameux film de Hitchcock qui s'intitulait du nom même de son obsession et qu'il vit sans tarder ne le choqua pas. Ni haine ni mépris dans *Les Oiseaux*, rien que la haute conscience de la prépondérance du règne ailé. Oui, si les oiseaux le voulaient, ils détruiraient facilement l'espèce humaine. Raison de plus pour s'émerveiller, non pas de leur bienveillance

– ce n'était pas le mot juste –, mais de leur noble indifférence à l'homme.

Déodat décida de s'inspirer autant que possible de cette attitude envers ses condisciples. Les enfants de sa classe étaient comme tous les autres, irrécupérables. Cela n'en faisait pas des démons, ils ne méritaient aucun châtiment. Il fallait seulement qu'il apprenne à vivre comme les oiseaux vivent, pas avec les humains, mais parallèlement à eux, à quelques mètres d'eux. Même quand un moineau mangeait dans la main d'un homme, il demeurait entre ces deux règnes une distance infranchissable : ce qui sépare une espèce qui vole de celle qui rampe.

L'enfant, qui vénérait sa mère, éprouva le besoin de savoir si elle aimait ses élus.

— J'aime les oiseaux, dit Énide, mais pas plus que les chevaux ou les éléphants. Les oiseaux sont magnifiques mais ils ne sont pas très attachants.

Déodat réfléchit avant de répondre :

— Ce que tu dis est vrai. Et c'est aussi pour ça que je les aime si fort.

— Toi qui es si tendre, toi qui ne perds pas une occasion de m'embrasser ?

— Oui. Toi, j'ai besoin de t'aimer comme

67

ça. Mais l'amour pour les oiseaux est différent, et tout aussi indispensable.

Énide regarda son fils avec l'admiration
perplexe qu'il ne cessait de susciter en elle.
Un enfant de sept ans qui tenait de tels propos, c'était quelque chose. On lui avait fait
passer les fameux tests. Son quotient intel-
lectuel de 180 laissait présager tout ce que
l'on voulait. Pourtant, Énide savait que son
fils valait bien mieux qu'un surdoué. C'était
un génie, il créait ses propres lois, indifférent aux paradigmes convenus de l'intelligence.

Les examinateurs lui avaient demandé,
à titre de vérification, si l'enfant s'ennuyait
à l'école et se montrait insupportable en
classe. Elle avait aimé les détromper :

— Il est très sage. Il regarde par la
fenêtre.

Déodat avait fait ce constat : il n'existait
pas de fenêtre d'où l'on n'apercevait pas au
moins un oiseau. Il plaignait ceux qui se
passionnaient pour les chevaux, les poissons
ou les serpents, car cette loi de la fenêtre
ne fonctionnait pas avec ces espèces. À la
réflexion, la loi de la fenêtre ne fonctionnait

qu'avec les oiseaux : les insectes disparaissaient l'hiver.

De tous les animaux sauvages, l'oiseau était le seul que l'on côtoyait au quotidien, chaque jour de l'année. Les uniques lieux où il était rare de les voir étaient la pleine mer et les déserts : ils coïncidaient avec les endroits où l'on croise peu d'hommes. Cette observation suggérait que l'oiseau était pour ainsi dire le frère noble de l'homme. Sa présence perpétuelle rappelait à l'espèce humaine ce qu'elle aurait pu être si elle n'avait cédé à la curieuse séduction de la pesanteur.

Il s'agissait d'une fraternité morganatique : aucun risque que l'oiseau partage ses privilèges aristocratiques avec l'humanité. Mais celle-ci pouvait à tout instant lever les yeux vers le ciel et rêver à la vie de celui qui osait voler.

L'envol relevait forcément de l'audace. À l'origine, aucune espèce ne volait. Un jour, il y a des centaines de millions d'années, une bestiole avait non seulement conçu ce rêve inédit mais aussi tenté de le réaliser. On repense avec une émotion justifiée aux pionniers de l'aviation. Se souvient-on des premiers animaux qui ont risqué leur vie dans cette expérience insensée ? À cette époque, il y a bel et bien eu un choix. L'homme appartient à l'espèce qui a choisi le sol.

Une aristocratie en entraînant une autre, celui qui avait choisi le ciel avait également inventé le chant. Si l'on peut imaginer un stade archaïque du langage où la musique ne se dissociait pas du sens, c'est grâce à l'oiseau. Il faut le pauvre cerveau humain pour créer une théorie comme celle de l'art pour l'art. Le merle et le rossignol savent sans le formuler que la catégorie du seulement beau est une ineptie et d'ailleurs qu'elle n'existe pas. S'ils chantent à un tel degré de beauté, c'est pour assurer le plus immense essor à la délivrance. Ce que dit le chant du rossignol le plus inspiré, c'est qu'il n'y a pas de limites au sublime, ni à l'émotion qu'il peut susciter.

Ce qui émouvait Déodat, c'est que tous les chants d'oiseaux n'étaient pas beaux. Certaines espèces magnifiques avaient un cri atroce, comme le héron ou le geai. Le cas du héron était particulièrement pathétique : peu d'oiseaux ont à ce point l'apparence d'un prince, qu'il soit en vol ou au sol. Que le parler de ce prince ressemble au raclement de gorge d'un scrofuleux donnait du grain à moudre aux fables rapportant le ramage au plumage.

C'était cela aussi que Déodat prisait dans cette gent : les oiseaux, pour sublimes qu'ils fussent, avaient leurs incohérences, leurs tentatives ratées, leurs bizarreries. Il ne s'ennuyait jamais en les observant : ils constituaient un règne avec ce que cela suppose d'intrigues, de héros et de bouffons. De l'antique archéoptéryx à la futuriste sterne arctique, du folklorique gypaète barbu à l'incongru tichodrome échelette, du coucou sans-gêne au pélican oblatif, de la linotte simplette au technologique pic épeiche, tous les rôles étaient représentés.

De même que le féru de littérature ne peut se résoudre à avoir un seul livre de chevet, Déodat était incapable d'avoir un oiseau favori : comment choisir entre la chouette effraie (quoi de plus déchirant que son cri ?), la sarcelle d'été (cette démarche si gracieuse), la buse variable (cette manière de se figer dans le ciel avant de fondre), la sittelle torchepot (l'humour avec lequel elle escaladait à l'envers), le roitelet (son volume de rocher Suchard), la poule d'eau (quelle jolie bestiole !), la tourterelle turque (ce regard si doux)? Chaque fois qu'il découvrait dans le Bordas une nouvelle sorte d'oiseau, il en sautait de joie.

«Quand je les aurai rencontrés en vrai, je pourrai peut-être en préférer un», pensait-il. Déodat avait conscience de son handicap : être un enfant de sept ans, citadin de surcroît, ne lui permettait pas d'aller observer ces merveilles dans leur habitat. Pour autant, il observait ce que Paris mettait à sa disposition : les pigeons et les piafs. Ces derniers le ravissaient : les moineaux, petits moines sautillants des trottoirs, hôtes légers du pavé, à l'impertinence gouailleuse, crève-la-faim à l'affût de l'aubaine, ils étaient les jeunes gens de Paris, et les moinettes étaient les jouvencelles parisiennes fières de leur minceur invétérée. Quant aux pigeons, le mépris dont ils étaient l'objet les identifiait clairement aux Parisiens vieillissants. Était-ce leur faute s'ils prenaient de l'âge, du ventre et des manières un peu lourdes ? Vieillir à Paris engendrait plus de vexations qu'ailleurs. Encore heureux qu'il y ait des compensations : la joie avec laquelle le pigeon chie sur un monument le console du dédain des coquettes et des rafles de la police.

Dans les parcs parisiens, Déodat put observer la noirceur sans concession des corneilles, et le long de la Seine, des mouettes, qui affectaient, comme certains provinciaux, d'être nées là : « Il n'est bon bec que de Paris », semblaient-elles dire. Villon l'avait déjà compris : les oiseaux, comme les autres, subissent l'attraction parisienne.

Il n'empêche qu'il tardait à l'enfant, non pas tant de voler de ses propres ailes que d'aller observer ailleurs les espèces innombrables du règne aviaire. Verrait-il un jour de ses propres yeux l'accenteur mouchet, la frégate et le bruant hudsonien ? Pourrait-il se remplir l'âme du spectacle d'une migration de bernaches ? Même le vautour, presque aussi détesté que la hyène, suscitait sa sympathie : il comprenait les peuples qui livraient leurs cadavres à ce nettoyeur rapide.

À l'école, la passion ornithologique du garçon n'eut pas d'influence sur sa réussite scolaire mais le rendit à sa solitude originelle. Les parents furent convoqués :

— Votre fils, qui avait beaucoup d'amis

au CP, n'adresse plus la parole à ses anciens camarades. Vous êtes au courant ?

— Assez pour savoir que c'est son choix.

— Déodat est supérieurement intelligent et il le sait. Il ne faudrait pas l'encourager dans cet isolement méprisant.

— Ce n'est pas du mépris. Notre enfant ne pense qu'aux oiseaux.

— Vous comptez faire de lui un ornithologue ?

— Nous comptons le laisser décider de sa vie.

— C'est dommage, quand même. Un tel cerveau pourrait trouver meilleur emploi.

Glacée, Énide coupa court à l'entretien et entraîna son mari hors du bureau du proviseur.

— Quel pauvre type, celui-là !

— Tu as raison, ma chérie. Nous ne raconterons rien de cet échange au petit.

La vérité était que Déodat avait d'abord voulu se prouver que son intégration parmi les enfants était possible. Mais dès qu'il n'en avait plus douté et qu'il avait pu constater le peu de valeur d'une camaraderie, il s'était détourné de toute vie sociale. La contemplation du moindre moineau de la cour lui apportait tellement plus que la fréquenta-

tion de ceux qui, après l'avoir appelé Déodorant, ne le nommaient plus autrement que
l'Enfienté.

Les gens ne sont pas indifférents à l'extrême beauté : ils la détestent très consciemment. Le très laid suscite parfois un peu de compassion ; le très beau irrite sans pitié. La clef du succès réside dans la vague joliesse qui ne dérange personne.

Dès le premier jour, Trémière devint la martyre de l'école. La maîtresse et les élèves avaient trouvé le meilleur prétexte à leur exécration : l'enfant fut décrétée d'une stupidité absolue.

Pour son malheur, sa propre mère en pensait autant.

Comment un très petit enfant est-il pressenti idiot par son entourage proche ? Et comment une réputation d'idiotie peut-elle se cristalliser autour de lui à l'école ? Il y a là un double et terrifiant mystère.

Dès ses quatre ans, Trémière passa un week-end par mois chez ses parents, à Paris. Ils voyaient d'un mauvais œil le refus de Passerose que leur fille aille à l'école maternelle :

— Cela ne sert qu'à désenchanter l'enfance, disait la grand-mère.

— Non. Cela sert à sociabiliser les tout-petits, répondait la mère.

— Quel vocabulaire barbare, ma pauvre chérie !

Ce week-end mensuel avait donc pour fonction d'initier Trémière à des rapports humains différents de celui qu'elle vivait avec Passerose. Dans la voiture qui les ramenait de Fontainebleau, Rose prit l'habitude de questionner sa fille.

— Que s'est-il passé cette semaine ?

Long silence que la mère interprétait à tort comme un temps de réflexion. Silence. Expression hallucinée de la petite.

— Qu'est-ce que tu as fait avec grand-maman hier, avant-hier ?

Même attitude.

— Qu'est-ce que tu as envie de faire à Paris, ma chérie ?

Idem.

— Sais-tu que quand on te pose une question, il faut répondre ?

Dans l'appartement du treizième arrondissement, Trémière avait sa chambre et ses jouets. Elle y restait assise par terre, immobile, à regarder les objets avec extase, sans y toucher. Elle ne parlait pratiquement pas.

Une seule fois, la petite eut un comportement qui ne déçut pas. Rose l'avait emmenée à la galerie, au vernissage d'un peintre serbe dont les toiles immenses déconcertaient. L'enfant contempla très longuement chaque tableau avec stupéfaction. L'artiste vint lui demander ce qu'elle en pensait ; en guise de réponse, Trémière montra du doigt l'œuvre la plus singulière puis tourna vers l'homme des yeux écarquillés.

Le Serbe tomba en pâmoison et baisa la main de la fillette.

— Je voudrais ne peindre que pour votre fille, dit-il à la galeriste.

Celle-ci se tut prudemment, mais ne crut pas un instant à la version du regard génial de l'enfant. Son opinion s'était déjà faite malgré elle et, même si elle en avait honte, elle ne pouvait rien y changer : sans jamais le formuler, elle pensait que Trémière était bête à souhait.

Quand elle la reconduisait le dimanche soir à Fontainebleau, son propre soulagement la rendait un peu triste. Et quand elle voyait sa fille courir dans les bras de Passerose en criant : « Grand-maman ! », elle se disait : « Rassure-toi, ton soulagement est partagé. »

Elle aimait sa fille, pourtant, et celle-ci l'aimait : mais cela n'avait rien à voir avec la passion qui unissait l'enfant à sa grand-mère.

De retour à Paris, Rose parlait à son mari de ce qui la préoccupait :

— À l'âge de Trémière, et même avant, j'explorais déjà. La maison de ma mère est un tel mystère, elle invite à fouiller, à monter au grenier, ou au moins à ouvrir les portes. Notre fille reste assise par terre, elle observe autour d'elle sans bouger, sans parler.

— Nous en ferons une moniale zen.

— Au lieu de plaisanter, reconnais qu'elle est spéciale.

— Que voudrais-tu que je te dise ? Qu'elle est une demeurée ?

— Le mot est trop fort. Non, je trouve qu'elle manque de curiosité.

— N'est-ce pas un vilain défaut ? Tant mieux si elle en manque !

Rose savait qu'elle avait tort de comparer l'enfance de sa fille à la sienne, qu'elle idéalisait sûrement celle-ci, qu'il fallait se féliciter qu'elle soit si différente. Cependant, elle ne pouvait s'empêcher de nourrir de l'inquiétude face à ce qu'en son for intérieur elle nommait l'hébétude ou la torpeur de Trémière.

Deux ans plus tard, son entrée au CP confirma ses craintes. Non que Trémière se plaignît – elle ne se plaignait jamais –, mais parce que la maîtresse l'appela :

— Ça ne va pas, madame.

— Ma fille n'apprend rien, n'est-ce pas ?

— Ce n'est pas le problème. J'ai de plus mauvais élèves. Est-ce qu'elle vous raconte ce qu'elle endure ?

— Non.

— Tout à l'heure, après la récréation, plus de Trémière. Je demande aux enfants où elle est, ils éclatent de rire. Je fonce dans la cour où je trouve la petite assise par terre. « Qu'est-ce que tu fais là ? Viens en classe ! — Je ne peux pas. — Pourquoi ? — Maïté a tracé un trait de craie autour de moi, elle m'a défendu de sortir du cercle. — Moi, je t'ordonne d'en sortir ! — Elle a dit que si j'en sortais, ma mère mourrait. — Elle se moque de toi, tu ne dois pas l'écouter. » J'ai dû la traîner hors du cercle. Parlez-lui, dites-lui que vous êtes bien en vie.

Très gênée, Rose parla à sa fille au téléphone et lui recommanda de se tenir à l'écart de cette peste de Maïté. Elle lui demanda de lui repasser la maîtresse :

— J'espère que vous allez aussi appeler les parents de Maïté.

— Bien sûr, madame. Je voudrais également avoir un entretien privé avec vous.

Elles prirent rendez-vous. Rose raccrocha en soupirant. « Évidemment, cette femme pense comme moi : il faut être stupide pour croire à cette histoire de craie et obéir à cette Maïté. Ma fille est une cruche. »

Lors de l'entretien, l'institutrice expliqua à Rose que sa fille ne se défendait jamais et que ce n'était pas normal :

— Il n'y a pas que Maïté. Tous les enfants s'en prennent à Trémière. Apprenez-lui à se défendre.

— Comment faire ?

— Dites-lui qu'elle ne doit pas accepter ces mauvais traitements.

— Doit-elle donner des coups ?

— Bien sûr que non. Elle doit parler,

82

c'est-à-dire qu'elle doit faire comme vous, quand vous vous défendez et quand vous la défendez. Car vous la défendez quand on l'attaque, n'est-ce pas ?

— Évidemment, répondit Rose avec un manque de conviction qu'elle espéra imperceptible.

Elle resta le moins longtemps possible avec l'institutrice. Son sentiment de culpabilité l'écrasait : « Je mens sur toute la ligne. Si je lui disais que la petite habite chez sa grand-mère, elle m'ordonnerait certainement de la reprendre à la maison. Et Trémière ne veut pas en entendre parler. Est-ce que je défends mon enfant quand on l'attaque ? Qu'est-ce que c'est que cette histoire ? À part cette Maïté, personne ne l'a jamais maltraitée. »

Rose appela sa mère :

— Est-ce que tu défends Trémière quand on l'attaque ?

— On a attaqué la petite ?

— Réponds à ma question, maman.

— Si on l'attaquait, je la défendrais férocement. Mais cela ne s'est jamais produit. Pourquoi me demandes-tu ça ?

Rose raconta l'affaire. Passerose soupira :

— Pauvre petite !

— Est-elle bête aussi, de gober cette histoire du cercle de craie ?

— Je peux la comprendre. Dans le Caucase, on ne plaisante pas avec les cercles de craie.

— Ne me dis pas que tu farcis la tête de ma fille avec tes croyances stupides ?

— Je m'en garde. Je pense seulement que Trémière a un grand sens de la magie.

— Tu ne crois pas qu'elle est un peu sotte ?

— Pas du tout. C'est une enfant d'une intelligence supérieure.

— À quoi vois-tu ça, maman ?

— Elle ne dit jamais de bêtises.

— Elle ne dit jamais rien.

— Ce n'est pas vrai. Elle parle peu, mais ce qu'elle dit est extraordinaire.

— Ses résultats scolaires n'ont rien d'extraordinaire, eux.

— Depuis quand juge-t-on l'intelligence d'un enfant sur de pareils détails ?

— J'espère que tu ne lui racontes pas que l'école n'a aucune importance ?

Passerose la rassura sur ce point.

— Écoute, maman, il paraît que Trémière est la martyre de sa classe. Est-ce qu'elle t'en parle ?

— Jamais.

— Essaie d'en savoir plus, d'accord ?

— Je te le promets.

Le soir même, la grand-mère eut une discussion importante avec sa petite-fille :

— Ma chérie, est-ce que les enfants sont méchants avec toi ?

— Non.

— Maïté t'a pourtant enfermée dans un cercle de craie.

— C'était méchant ?

— Tu sais, certains enfants, comme Maïté, sont très méchants. Raconte-moi ce qui se passe pendant les récréations.

— Je joue.

— À quels jeux ?

— À la piscine.

— Il y a une piscine dans la cour ?

— La piscine, c'est moi.

— Je ne comprends pas.

— Les autres montent sur le mur, comme si c'était le plongeoir, et je suis couchée par terre en dessous. Ils sautent.

— Je ne veux pas en savoir davantage. Pourquoi ne jouez-vous pas à un jeu différent ?

— On joue aussi au football.

— Laisse-moi deviner : tu es le ballon ?

— Non, je suis le but.

— Gardienne de but ?

— Non, but.

— Ma chérie, c'est épouvantable. Tu ne dois pas accepter qu'on te fasse du mal.

— Ça ne fait pas tellement mal. Et c'est mieux qu'avant. Avant, personne ne voulait jouer avec moi.

— Je préférerais encore que tu ne joues avec personne. Promets-moi que désormais tu refuseras ces jeux horribles.

— D'accord.

Passerose sourit avant de demander :

— Tu n'as pas de bleus, malgré les coups que tu as reçus ?

La petite haussa les épaules. La grand-mère, qui lui donnait son bain chaque soir, avait observé qu'elle était intacte. C'était très curieux : Trémière ne marquait pas.

Le lendemain, quand les élèves tentèrent de l'entraîner dans l'un de leurs jeux sadiques, elle refusa poliment. Ils insistèrent, elle persista dans son refus. Ils voulurent alors la tabasser. Elle les regarda dans les yeux, très calme, et dit :

— C'est inutile, je ne marque pas.

Ils furent tellement déconcertés qu'ils

passèrent à autre chose. Dorénavant, Trémière fut une enfant solitaire. Pendant les récréations, elle marchait interminablement en chantonnant. Rien ne semblait l'affecter. L'unique chose qui lui importait était de retrouver sa grand-mère.

— Cela ne te déplaît pas trop, de ne pas avoir d'amis ? lui demanda celle-ci.

— Je n'aime pas beaucoup l'école, de toute façon, fut sa réponse.

Le week-end, Trémière continuait à s'asseoir par terre au milieu de la salle à manger du manoir et regardait autour d'elle sans bouger.

— Tu ne t'ennuies pas ? interrogeait Passerose.

— Non. Je remarque toujours quelque chose de nouveau.

La grand-mère fut si émerveillée par cette repartie qu'elle emmena la petite dans sa chambre. En soi, c'était déjà un rare privilège, car elle ne permettait pas qu'on pénètre dans son sanctuaire, mais elle ne s'arrêta pas là.

— Je vais te montrer ce que je ne montre à personne.

La vieille dame s'assit devant la coiffeuse,

prit l'enfant sur ses genoux, ouvrit un tiroir et saisit un coffret de cuir.

— Le cuir, c'est de la peau : rien de tel pour ne pas abîmer ce qui est fragile.

Elle souleva le couvercle et révéla un monde de splendeurs agencées avec une minutie extrême :

— Il ne faut pas que deux bijoux se touchent : les pierres pourraient se rayer. Il n'y a que dans les films de pirates que les trésors regorgent de joailleries entassées et mélangées. Chaque bijou est une âme délicate qui ne supporte pas le contact de ses congénères.

Le ventre du coffret consistait en un labyrinthe à plusieurs étages avec tiroirs secrets, coussinets de velours, des chausse-trapes, des méandres sombres, des mécanismes effrayants.

— Donne-moi la main. Ferme les yeux.

La petite s'exécuta, terrifiée. La grand-mère guida la main à l'intérieur de ce rangement génial dont la douceur recelait, en ses recoins les plus inattendus, la dure froideur du métal et de la gemme.

— Même si tu étais aveugle, tu saurais combien c'est beau, non ?

Passerose s'aperçut que l'enfant avait la chair de poule. Elle approuva cette réaction.

— Ouvre les yeux, à présent.

L'éclat de l'or saisit Trémière comme une gifle de lumière. La vieille dame démonta un à un tous les compartiments afin de mettre à l'air libre chaque pièce de joaillerie. Elle les présentait à la petite comme autant d'individus :

— Voici l'Étoile de Samarcande, un bracelet qui date de 1749. Il avait été offert à une dame de la cour de Versailles par un gentilhomme persan. C'est de l'or de l'Oural : tu remarqueras que rien ne diffère autant de l'or que l'or lui-même. Il faut des goûts orientaux pour apprécier un or aussi jaune. Je l'aime beaucoup. Et il comporte ce diamant qui lui donne son nom, qui est tellement énorme que porter ce bracelet en public relèverait de l'insulte. Sens le poids de ce bijou dans ta paume. N'est-ce pas, que cela impressionne ?

Trémière tremblait. Elle qui n'avait jamais eu bonne mémoire retenait le moindre des mots avec lesquels la grand-mère racontait les bijoux.

— Lève-toi.

Passerose posa sur son vaste lit chaque bijou. Le velours de la courtepointe accueillit les ors et les pierreries comme des hôtes de marque. Quand il y en eut sur toute la surface du lit double, la vieille dame ferma les rideaux, rendant la chambre à l'obscurité des origines.

— Regarde.

Le faible éclat de ce gemmail improvisé bouleversait à la manière des bas-reliefs d'une crypte.

— Il paraît que les trésors japonais sont conçus pour être admirés dans l'ombre. Je ne suis pas japonaise mais je comprends ce principe.

Toute lumière abolie, ce qui flottait à mi-hauteur des ténèbres relevait de la lueur polychrome. C'était de l'ordre de la lampe merveilleuse.

— Cet éclat ne peut pas être réfléchi : nous sommes dans le noir. Donc, l'or et les pierres précieuses émettent de la lumière.

Trémière, qui n'était pas sûre de tout comprendre, trouvait que sa grand-mère disait des choses sublimes.

— Sais-tu pourquoi je n'ai jamais parlé de ces bijoux à ta mère ? demanda Passerose en rouvrant les rideaux.

— Non.

— Parce que, comme n'importe qui d'autre, elle m'aurait posé des questions. Elle m'aurait interrogée sur la provenance de mon trésor, sur sa valeur – et surtout, elle m'aurait sommée de le déposer dans un coffre à la banque.

La petite fille, qui savait à peine ce qu'était une banque, fronça les sourcils à l'idée du coffre à bijoux dans un lieu étranger.

— Toi, tu ne poses jamais de questions. Je ne dis pas que c'est mal d'en poser. Les questions peuvent révéler une intelligence. Toi, tu as une manière supérieurement intelligente de ne pas en poser. Je sais que tu ne parleras de ce trésor à personne.

Il y eut un silence. L'enfant devina que ne pas répondre constituait la réponse idéale.

— Je ne dépose pas ces bijoux à la banque parce que j'ai besoin de les voir et de les porter au quotidien. Je les porte chaque nuit pour dormir.

Trémière regarda tout ce qu'il y avait sur le lit et essaya d'imaginer Passerose parée d'un si grand nombre de merveilles.

— C'est une vérité peu connue : les bijoux, pour rester magnifiques, ont besoin

91

d'être portés très souvent. Et quand je dis portés, cela signifie aimés. Un bijou porté sans amour peut se ternir d'un coup. Moi qui te parle, j'ai vu ma propre mère éteindre à jamais un diamant qu'elle avait accepté, par vanité, d'un homme qu'elle n'aimait pas. Elle l'a porté une seule fois. À la fin de la soirée, le bouchon de la carafe brillait plus que son solitaire. Elle l'a revendu, une misère, à un Anversois.

La petite eut envie de demander ce qu'était un Anversois, mais sa grand-mère venait de louer son inappétence au questionnement. Elle songea qu'elle irait voir dans le dictionnaire.

— Ma chérie, si j'ai une règle de vie à t'enseigner, c'est celle-ci : d'un homme que tu n'aimes pas, n'accepte jamais un bijou précieux. Surtout si le bijou te plaît : la pierre ne te le pardonnerait pas.

L'enfant n'était pas sûre qu'une telle règle lui servirait un jour.

— Bref, si ta mère connaissait l'existence de ce trésor, elle m'obligerait à prendre au moins une assurance. Cela supposerait une expertise – quelle horreur ! Soumettre ses bijoux à une expertise, c'est prouver qu'on ne les aime pas. Moi, je les aime au point d'avoir besoin de les porter chaque nuit. Si j'ai conservé mon éclat, c'est grâce à eux. N'est-ce pas que je suis une femme éclatante?

Trémière acquiesça avec ferveur. Elle hésita avant de dire:

— Grand-maman, j'aimerais tellement te voir avec tes bijoux.

Passerose réfléchit.

— D'accord. Ce soir, avant de me coucher, je t'appellerai.

Trémière passa le reste de la journée en transe. Ce qu'elle avait contemplé ce matin-là l'emportait en splendeur sur tout ce qu'elle avait vu de sa vie. À table, elle ne put rien avaler. Passerose rit:

— On croirait que tu as peur.

La petite fille ne répondit rien parce que c'était vrai. Elle avait remarqué que ce qu'elle aimait trop provoquait en elle une peur extrême. Quand sa grand-mère la serrait dans ses bras, quand sa mère se maquillait, elle avait peur. Mais cela pouvait encore se comprendre: de tels moments s'associaient à des personnes adorées, il y avait de quoi éprouver de la terreur. Or, Trémière avait constaté que cette peur intervenait à d'autres moments: dans un magasin

93

au rayon des parfums si elle regardait certains flacons à l'ovale délicieux, le frisson de plaisir et de peur s'emparait d'elle. Si elle prolongeait cette contemplation, l'onde de volupté devenait si puissante qu'elle la faisait gémir.

Le soir venu, l'enfant entra dans la chambre de sa grand-mère en tremblant. À la lueur des bougies, elle découvrit la vieille dame assise devant sa coiffeuse, revêtue d'une robe de nuit qui ressemblait à une tenue de mariée. Dans le reflet du miroir, elle vit son visage éclatant de splendeur : des pendants d'oreilles en diamants et un collier d'émeraudes auréolaient ses traits d'une lumière magique qui lui donnait l'air de venir d'un passé inconnu.

Passerose se tourna vers elle. Trémière vit qu'elle était entièrement recouverte de bijoux : sous le tour de cou d'émeraudes s'étageaient de longs colliers d'or qui ne formaient plus qu'une étincelante guirlande de beauté, des broches à foison constellaient la dentelle blanche ; chacun de ses poignets arborait des bracelets lourds de pierreries, certains rigides, d'autres souples comme des serpents d'or et d'argent, et chaque doigt sertissait une bague comme l'ivoire sublime les joyaux byzantins.

La vieille dame se mit à lui détailler chaque bijou comme elle les lui avait présentés le matin, mais la petite fille ne l'écoutait pas, déchirée par une peur et un plaisir qui la parcouraient en tous sens : elle rassemblait ses forces pour s'empêcher de gémir.

Elle ne sut jamais comment elle eut le courage de prendre la parole :

— Grand-maman, couche-toi sur le lit, s'il te plaît.

Étonnée et amusée par cette requête, l'aïeule s'allongea sur la courtepointe de velours. L'enfant s'approcha et regarda de tous ses yeux : à présent, l'or, les pierres et la grand-mère étaient parfaitement encastrés et ne formaient plus qu'un. Trémière comprit ce que voulait dire porter un bijou : Passerose portait ses bijoux comme personne. Les bijoux prenaient vie d'être portés par celle qui les méritait de toute éternité.

La peau ternie par les ans réfléchissait idéalement l'éclat des pierres et des métaux précieux. Rien de tel que la vieillesse pour poudrer le teint d'une femme et lui enlever cet excès qui nimbe les jeunes filles d'une aura naturelle : on ne devrait pas avoir le droit de porter de l'or et des diamants avant l'âge de soixante ans.

— Je dois avoir l'air d'une momie, non ? Ou d'une gisante ?

La petite fille ne connaissait pas ces mots et acquiesça pour cette raison : la grand-mère ressemblait à quelque chose d'inconnu.

— Est-ce que je peux toucher ? osa-t-elle demander.

— Oui.

Trémière caressa de la paume de la main ce composé d'aïeule et de bijoux. Le contraste entre la tiédeur des dentelles et la froideur des pierres l'émerveilla.

— Tu es tellement belle, grand-maman. Mais comment fais-tu pour dormir avec tout ça ?

— Il faut avoir un sommeil immobile. Question d'habitude. À présent, je ne peux pas dormir sans mes bijoux. Ils me rechargent. Tu ne diras rien à ta mère, n'est-ce pas ?

L'enfant promit, enchantée de partager un tel secret.

À l'école, parfois, d'autres élèves parlaient de leur grand-mère. Un jour, Maïté avait déclaré que la sienne enlevait son dentier pour dormir. La classe éclata de rire. Dans son coin, Trémière pensa qu'elle avait raison de ne pas se venger de cette peste : la réalité s'en occupait.

À l'âge de quinze ans, Déodat trouva le moyen d'enlaidir. Il grandit prodigieusement, ce qui donna à sa monstruosité plus de terrain pour s'épanouir. Il se couvrit d'acné. Son dos se voûta de manière si exagérée que sa mère le conduisit chez un médecin, qui diagnostiqua une cyphose :

— Votre fils est en train de devenir bossu.

— Mais ça n'existe plus, aujourd'hui.

— Ça n'existe plus parce que ça se soigne. Seulement, jeune homme, il va falloir porter un corset pendant plusieurs années. Ainsi nous pourrons annuler cette gibbosité.

— J'aime mieux la garder, intervint Déodat.

— Ne vous inquiétez pas pour ce corset, vous vous habituerez très vite.

— Là n'est pas la question. Il semblerait que la nature ait décidé de me parer de toutes les horreurs. Son projet me fascine, je ne veux pas le contrarier.

Le docteur considéra l'adolescent avec perplexité avant de reprendre :

— Je préfère ne pas commenter. Jeune homme, être bossu, c'est une maladie abominablement douloureuse. Avec les années, cela empêche de respirer, on en meurt. Donc, vous porterez ce corset.

Déodat, qui haïssait la souffrance, ne protesta plus. Le premier jour, le corset lui fit l'effet d'une prison qui le maintenait si droit que c'en était épuisant. Le bon côté de l'affaire, c'était qu'un dérangement si absolu l'empêchait de se préoccuper de l'hilarité de sa classe :

— Dis donc, Déo, ça te suffisait pas d'être le plus moche ? Il faut aussi que tu sois le plus ridicule ?

Deux garçons le ceinturèrent pendant qu'un troisième lui souleva son tee-shirt pour regarder :

— À quoi tu joues, mec ? C'est une camisole de force ?

— En effet, répondit sobrement Déodat.

— Pourquoi tu portes ce truc?

— La police m'a diagnostiqué hyper-violent. C'est un système de surveillance relié à une cellule de sécurité. En clair, si je cède à ma pulsion de vous défoncer la gueule, les flics arrivent le plus vite possible. Peut-être pas assez vite, hélas, pour vous sauver.

Dans le doute, les adolescents ne tentèrent pas de le pousser à bout. Déodat, lui, ne pensait qu'au soir: au moment de se coucher, il avait le droit de retirer le corset qui allait de sa taille à son cou.

La première fois qu'il l'enleva, le soulagement fut si grand qu'il gémit de plaisir. La nuit devint sa meilleure amie, son espace de souplesse et de liberté. Il prit l'habitude d'aller au lit de plus en plus tôt. Les curieux rêves de la puberté le transformaient en oiseau migrateur, il volait pour de vrai, avec une sensation de fluidité exquise: c'est ainsi qu'il vécut ses premiers orgasmes nocturnes.

Le matin, il fallait remettre cette espèce de plâtre géant: l'idée de vivre dans cette rigidité pendant plusieurs années lui tapait sur le moral. Pourtant, au bout d'une semaine, il s'aperçut que cela l'obsédait moins. Au lieu de passer son temps à maudire son corset, il se surprit à rêvasser comme auparavant en regardant les moineaux par la fenêtre de la classe.

Quelques jours plus tard, en plein cours, une boulette de papier atterrit sur son bureau. Personne ne la remarqua. Il la déplia et lut ce message :

« Déo,
J'aimerais mieux te connaître. Rendez-vous à dix-sept heures au Rat qui fume.
Sam. »

Samantha était la plus jolie fille du lycée. Il s'agissait forcément d'une plaisanterie de mauvais goût. Déodat jeta le billet et rentra chez lui comme d'habitude.

Le lendemain, Samantha l'attendait devant l'établissement scolaire, les yeux rougis.

— Pourquoi tu n'es pas venu hier ?

— Pourquoi serais-je venu ?

— Parce que je te l'avais demandé.

— Je n'apprécie pas qu'on se moque de moi.

— Je ne me moque pas de toi.

L'adolescent la regarda fermement. Elle n'avait pas l'air de mentir.

— Aujourd'hui, à dix-sept heures, au Rat qui fume, dit-elle.

Déodat passa la journée dans la perplexité et se rendit à dix-sept heures au troquet en question. La jeune fille parut soulagée :

— J'avais si peur que tu ne viennes pas.

— Que me veux-tu ?

— Je l'ai écrit : j'aimerais mieux te connaître.

— Depuis combien de temps sommes-nous dans la même classe ?

— C'est la quatrième année.

— Pourquoi cette soudaine curiosité à mon égard ?

— Quand les autres crétins t'ont agressé, je t'ai trouvé formidable.

— Ce que je leur ai dit était un mensonge, j'espère que tu le sais.

— Bien sûr. J'aime bien ton corset, on croirait que tu portes une armure.

— C'est pour ça que tu veux mieux me connaître ?

— Non. C'est parce que je suis amoureuse de toi.

Déodat en eut le souffle coupé. La jeune fille le regardait avec une intensité extrême, elle tremblait. À l'évidence, elle ne plaisantait pas. Il admira son courage.

— Pourquoi es-tu tombée amoureuse du garçon le plus laid du lycée ?

— Je ne te vois pas comme ça. Pour moi, tu es le plus intelligent. Tous les autres sont des gamins.

— J'ai le même âge qu'eux.

— Tu n'as rien à voir avec eux. Tu as la classe.

— Je n'ai jamais embrassé personne.

— Je t'apprendrai.

Elle lui apprit. Il éprouva un grand plaisir. Il rentra chez lui en retard.

— Je m'inquiétais, dit Énide.

— J'étais avec une fille. Elle peut venir à la maison ?

— Bien sûr, répondit-elle.

Le lendemain, à sa stupéfaction, Énide vit son fils main dans la main avec une jeune fille ravissante qui semblait très amoureuse.

— Voulez-vous un chocolat chaud ? proposa-t-elle aux adolescents.

— Non, dit Déodat. Samantha et moi, nous allons dans ma chambre. Nous avons besoin d'intimité.

Énide ne trouva rien à répondre et piqua un fard quand elle entendit qu'il fermait la porte à clef. De peur de se rendre coupable d'indiscrétion, elle quitta l'appartement à la hâte et courut dans les cantines de l'Opéra rejoindre son époux. Elle lui exposa la situation.

— Sacré gamin ! s'exclama Honorat en riant.

— Tu étais comme ça, toi, à son âge ? demanda-t-elle.

— Pas plus que toi, mon Énide.

— Je n'ose pas rentrer à la maison.

Quand les parents revinrent au logis, Déodat contemplait avec fixité une image de tadorne de belon. Honorat commença à préparer le dîner. Énide entra dans la chambre de son fils et referma la porte. Les joues en feu, elle lui demanda s'il se servait de préservatifs.

— Oui, maman, ne t'inquiète pas, répondit-il avec indulgence.

La liaison dura deux mois. Très vite, Samantha devint ombrageuse. Il y avait toujours quelque chose qui ne lui allait pas : « Tu pourrais facilement te passer de moi » ou « Est-ce que je te manque ? Tu ne le dis jamais» ou «Tu n'as pas l'air amoureux» ou «Tu ne m'écris pas de poèmes» ou «Pourquoi ne recherches-tu pas plus ma compagnie?» À cette dernière question, il dit: «Parce que tu te plains sans arrêt.» Ce fut mal pris. Elle rompit.

Déodat pensa: «C'est ma première rupture.» Il se rappela les débuts, qui lui avaient beaucoup plu. Il éprouva un pincement au cœur.

Le lendemain, Séraphita, une jeune fille délicieuse, vint lui faire les yeux doux. Elle était extraordinairement différente de Samantha. Le surlendemain, le garçon présenta Séraphita à Énide puis l'emmena dans sa chambre.

— Tu m'as vite remplacée, lui déclara Samantha avec amertume.

Déodat songea que ce n'était pas exact et chercha la bonne formulation. Il n'eut pas le temps de la trouver; Séraphita vint lui demander pourquoi il revenait déjà à ses anciennes amours. Leur histoire ne dura guère.

Ensuite, il y eut Soraya, Sultana, Silvana. Chacune connut sa chambre.

Énide rassembla son courage et déclara à son fils qu'il était en train de mal tourner.

— Que me reproches-tu ? interrogea-t-il.

— Je n'aime pas ton personnage de tombeur.

— Ce n'est jamais moi qui commence ni qui termine.

— Es-tu obligé d'aller avec toutes ?

— C'est loin d'être le cas. Je n'accepte les avances que de celles qui me plaisent.

La mère ne put s'empêcher d'éclater de rire en répétant ces propos à Honorat qui partagea son hilarité.

Au lycée, les gars de la classe observaient ce manège avec perplexité.

— Quel tableau de chasse ! Respect, mec, lui dit Brandon.

Déodat se contenta de le toiser.

— Tu as vite compris comment il faut s'y prendre, tu changes tout le temps de nana, ajouta l'admirateur.

— Non. C'est moi qu'on largue à chaque fois.

— Encore mieux. Une de perdue, dix de retrouvées.

— La lourdeur, c'est vraiment une caractéristique masculine, commenta le corseté.

— Dis donc, ça ne sert à rien de faire un

effort avec toi. Tu es toujours aussi imbuvable.

— En effet. Répète-le à ta bande.

Cependant, Déodat se demandait pourquoi ses amours ne duraient pas plus longtemps. Même s'il ne souffrait pas de cette situation, il essayait de la comprendre. Pourquoi l'exaltation des jeunes filles se transformait-elle si rapidement en son contraire ? Si cela avait été à cause de sa laideur, il aurait compris, mais à l'évidence les demoiselles ne le quittaient pas pour ça.

Le cycle des plaintes se reproduisait avec chacune. La raison en changeait continuellement, ainsi que la façon de les exprimer : le garçon remarqua que certaines filles cherchaient le motif après avoir amorcé la lamentation. Cela donnait des dialogues aussi laconiques qu'incertains :

— Qu'est-ce qu'il y a ?

— Tu sais bien.

Ou :

— Il y a quelque chose qui ne va pas ?

— Je sais pas.

Tôt ou tard, le prétexte surgissait, qui soudain prenait une importance capitale :

— J'ai du mal avec les garçons qui (au choix) n'appellent jamais au téléphone, appelent souvent au téléphone, ne parlent presque pas, n'invitent pas au restaurant, préfèrent les oiseaux à ma compagnie, lisent quand on les caresse, etc.

Au début, l'incriminé se défendait, ce qui ne faisait qu'aggraver son cas. Il comprit sans tarder qu'il valait mieux se taire. Le résultat était tout aussi mauvais, mais coûtait moins d'efforts. On finissait par lui dire :

— Tu t'en fiches de ce que j'éprouve !

C'était faux, mais il se sentait impuissant à consoler des détresses à ce point insondables. S'il avait été réellement amoureux, peut-être aurait-il eu le courage de tenter l'impossible. La conscience de sa déficience le dissuadait d'essayer.

Quand on le quittait, il pensait : « Un jour, j'aimerai. Celle que j'aimerai, je la sauverai. » Une voix subreptice glissait parfois cette réflexion moins avouable : « Ce serait bien, de rencontrer une fille qui ne se plaindrait pas sans arrêt ! »

Voici comment il théorisa son constat : si la caractéristique masculine était la vulgarité, la caractéristique féminine était l'insatisfaction. Bien sûr, ce n'était pas si simple, il pouvait y avoir de l'insatisfaction chez les hommes et de la vulgarité chez les femmes. Il n'en demeurait pas moins qu'il s'agissait bien d'une tendance : « Moi-même, si je n'avais pas été mis à l'épreuve par mon physique, je serais sans doute un garçon vulgaire. »

À la réflexion, l'insatisfaction et la vulgarité pouvaient s'interpréter comme les versions féminine et masculine d'une force identique : le désir. Celui-ci constituait le socle, la définition, le magma originel. Désir de quoi ? S'il n'avait été que sexuel, c'eût été un rien plus simple à régler. Mais même à quinze ans, Déodat se rendait compte que le sexe était une partie d'un désir beaucoup plus grand et beaucoup plus mystérieux. Il ne s'agissait pas d'un désir sans objet, il s'agissait d'un désir à objet énigmatique.

L'assouvissement du désir sexuel amenait à désirer autre chose. Souvent, quand une petite amie s'en allait, le garçon était pris d'une envie folle de voir tel ou tel oiseau : il se ruait sur son livre d'ornithologie ou sur ses gravures et, lorsque la planche espérée s'offrait à lui, il la regardait avidement. Le plaisir qu'il éprouvait à observer le tichodrome échelette ou le bec-croisé des sapins lui donnait le désir de les approcher en vrai. «Hélas, si je le faisais en vrai, que me resterait-il? Quel désir peut succéder à ce désir?»

Une belle adolescente suscite encore beaucoup plus de haine qu'une belle enfant.

Les jeunes filles de seconde du lycée des Adieux de Fontainebleau étaient des adolescentes ordinaires : à toute occasion, elles éclataient d'un rire nerveux dont elles ignoraient la cause. Elles s'observaient les unes les autres avec une acuité impitoyable. Rien ne leur échappait : un bouton d'acné mal placé, un suçon, un nouveau soutien-gorge, un air de bonheur, la moindre information suscitait une curiosité sans bornes.

La puberté avait enlaidi la moitié d'entre elles ; des petites filles graciles étaient devenues d'épaisses créatures, des enfants aux joues rondes avaient désormais des visages en lame de couteau, des gossettes charmantes affichaient dorénavant une moue méprisante qui les défigurait, même celles qui avaient évité les écueils de l'acné et les déformations du corps n'étaient pas au sommet de leur splendeur : il y avait toujours une gaucherie qui venait gâcher l'ensemble.

Le critère qui les poussait à rechercher l'amitié de telle ou telle était la popularité auprès du sexe opposé. Cette quête paradoxale consistait moins à fréquenter des garçons qu'à fréquenter des filles qui fréquentaient des garçons : aimer un garçon, on savait où cela conduisait ; aimer une fille aimée des garçons menait à des frustrations aventureuses du plus haut intérêt.

En vérité, on ne comprenait pas ce qui attirait les garçons. Les filles qui leur plaisaient n'étaient ni les plus jolies, ni les plus intelligentes, ni les plus aimables. Ce n'était pas forcément non plus celles qui couchaient. Il s'agissait de celles qui paraissaient avoir « quelque chose », soit qu'elles l'aient vraiment, soit qu'elles en donnent les signes. Quant à la nature du « quelque chose », qu'au dix-septième siècle l'on eût appelé le je-ne-sais-quoi, bien malin qui en dira plus.

S'il y avait une fille qui ne plaisait à aucun

garçon, et par conséquent à aucune fille, c'était Trémière. À quinze ans, elle était de loin la plus belle fille du lycée des Adieux. Longue et mince, ses cheveux de miel lui faisaient un vêtement naturel qui allait jusqu'à mi-cuisse. Ses grands yeux fixes éclairaient comme des spots. Son visage de statue expliquait son silence.

Son teint de lait nacré lui valut le surnom de Trémière la Crémière. Bientôt on ne l'appela plus que Crémière. À dire vrai, on ne l'appelait pas, on la huait. Elle ne parlait jamais, mais si par accident elle produisait un son, éternuement discret ou réponse polie à un professeur, il y avait toujours quelqu'un pour gueuler : « Ta gueule, Crémière ! », ce qui provoquait la risée générale. Elle ne réagissait jamais à ces humiliations fréquentes, ce qui aurait pu être interprété comme du courage ou de la dignité, si l'on n'avait établi depuis l'aube des temps qu'elle était stupide à en pleurer.

De son immense regard clair, on disait qu'il était vide. Si quelqu'un avait osé y plonger, il aurait vu qu'il s'agissait de l'œil le plus contemplatif qui fût, tant elle était entièrement à l'affût de la beauté visible. Elle la guettait partout, y compris sur les visages des filles qui la méprisaient. Quand elle repérait une trace de beauté, elle la scrutait pour s'en nourrir le cœur.

Les garçons la disaient sotte et hautaine, les filles se régalaient à le répéter. S'il n'avait échappé à personne qu'elle était insoutenablement belle, ce n'était qu'un argument de plus pour lui pourrir la vie, pour qui se prenait-elle, pensait-elle qu'il suffisait d'être belle pour se croire tout permis ?

Deux mois après la rentrée, débarqua un nouveau qui eut le talent de plaire. Tristan portait son prénom à merveille : les cheveux noirs, le teint pâle, les lèvres vermeilles, la beauté romantique par excellence. Il s'exprimait avec humour et élégance, il ne manquait ni d'assurance ni d'aplomb. La classe de seconde l'adopta à l'unanimité.

On le surprit un jour en train de converser ou plutôt de monologuer avec Trémière, qui l'écoutait les yeux baissés. On le chapitra :

— Perds pas ton temps avec cette conne !

— Quelle preuve avez-vous de sa connerie ?

— On n'a que ça. On la connaît depuis toujours, elle est con comme un balai.

Maïté raconta l'affaire du cercle de craie, une autre le jeu de la piscine.

— Ça remonte à quand ? demanda Tristan.

— Nous avions six ou sept ans.

— C'est un peu ancien, non ? fit remarquer le nouveau.

— Si tu t'imagines qu'elle a changé ! Elle est irrécupérable.

— Pourquoi la détestez-vous ?

— On ne la déteste pas.

— C'est comment, quand vous détestez quelqu'un ?

— Nous, nous voulions juste te prévenir. Si ça ne te dérange pas qu'elle te regarde avec ses yeux de vache, on s'en fiche.

Tristan, qui était un adolescent ordinaire, fut un peu ébranlé par cette exécration générale. Mais la beauté de Trémière ne laissait pas de l'impressionner. Il se tint à lui-même ce raisonnement : « Après tout, elle n'a jamais redoublé. Si ça ne fait pas d'elle un génie, ça prouve au moins qu'elle n'est pas si débile. »

Par conséquent, il s'autorisa à rechercher sa présence. À la pause, il venait lui parler. Si la jeune fille se retournait pendant qu'un professeur écrivait au tableau, elle surprenait le regard de Tristan posé sur elle.

Trémière n'avait jamais rien vécu de pareil. C'était la première fois de son existence qu'une personne de son âge lui adressait autre chose que du mépris. Cela la troubla au plus haut degré. Si elle doutait trop profondément d'elle-même pour ne pas être une proie facile, au moins conservait-elle la prudence de se taire. De sorte que Tristan, en lui donnant le premier baiser, frémit comme jamais, se crut sincèrement amoureux pendant quelques instants d'éternité et prononça les deux ou trois paroles irréparables qu'il est tentant de dire à quinze ans lorsque la beauté s'offre à soi.

Ce soir-là, la jeune fille rentra chez elle dans un état second. À table, elle ne put rien avaler. La grand-mère souriait en coin en l'observant.

— Je suis très fatiguée, je vais me coucher tôt, dit-elle à Passerose.

— Dors bien, ma chérie.

On était fin novembre, il pleuvait du désespoir : Trémière ouvrit grand ses fenêtres et trouva sublime ce ciel de suicidés. Elle s'allongea sur le lit et se laissa submerger par le froid : les joues en feu, elle revécut en boucle son premier baiser, le visage de Tristan s'approchant du sien, les paupières cachant ses beaux yeux, la bizarrerie exquise des deux bouches qui n'en faisaient plus qu'une, et puis les paroles du garçon, ces paroles incroyables qu'elle absorbait au fur et à mesure qu'elle se livrait à leur vertige.

La nuit entière, l'adolescente se laissa envahir par les remous de l'événement. Elle ne s'interrogea pas sur ce qu'elle-même éprouvait, ce n'était pas nécessaire, son corps parlait pour elle. Tout à sa première transe amoureuse, elle ne ferma pas l'œil une seconde. Au matin, elle se leva sans fatigue.

Dans le miroir de la salle de bains, elle se trouva belle. Les paroles de Tristan résonnaient dans sa boîte crânienne : elles avaient été inspirées par la fille qu'elle voyait dans la glace. Pour la première fois, elle parvint à prendre de la distance au point de s'imaginer dans la peau d'une autre qui la découvrirait. Elle trembla de peur.

Elle courut au lycée où Tristan était arrivé en avance. Le sort voulut que trois garçons la devancent d'une minute et s'en prennent à lui. Cachée derrière la porte entrouverte de la salle de classe, voici ce qu'elle entendit :

— Vas-y, raconte.

— Ça ne vous regarde pas.

— Ne te fais pas prier. Tu rêves de nous raconter.

— Que voulez-vous savoir ?

— Elle embrasse comment la Crémière ?

— Comme une qui se laisse embrasser pour la première fois.

— C'était son premier baiser ?

— Sans doute.

— C'est comment, de baiser une vierge ?

— C'est spécial.

— Elle est bonne ?

— Pas vraiment.

Il y eut des rires imbéciles.

Derrière la porte, Trémière se glaça. Elle eut juste la force de comprendre qu'elle devait s'éloigner. L'humiliation serait mille fois pire si les garçons savaient qu'elle les avait entendus.

Raide de froid et de souffrance, elle fonça vers la cour. Elle tomba assise sur un banc et commença à claquer des dents.

Dix minutes plus tard, Tristan la rejoignit. Elle détourna la tête et refusa de le regarder. Il essaya de l'étreindre, elle le repoussa avec dégoût et ne répondit à aucune de ses questions.

— Souvent femme varie, bien fol est qui s'y fie, dit-il.

Même si elle avait voulu parler, ses claquements de dents l'en auraient empêchée. À la voir à ce point prostrée et secouée par ce tremblement convulsif, Tristan décida qu'elle avait perdu la raison. «Les gens la croient stupide alors qu'elle est tout simplement dingue», pensa-t-il en s'éloignant.

Trémière passa la journée comme une somnambule. Certains professeurs s'inquiétèrent de ses claquements de dents, elle murmura un «J'ai pris froid» à peine audible tout en croisant les bras.

Tristan ne soupçonna pas une seconde que la jeune fille avait surpris son échange misérable avec les trois garçons. Il l'avait d'ailleurs oublié; rien de tel que la médiocrité pour penser du bien de soi.

Dès la première pause, les élèves remarquèrent que le flirt n'existait plus. Maïté courut interroger le séducteur:

— C'est déjà fini avec Trémière?

— Comme tu vois.

— Qu'est-ce qui s'est passé? Raconte!

— Ça ne te concerne pas, trancha Tristan en se donnant des airs de gentleman soucieux de protéger la réputation d'une demeurée.

Enchantée, Maïté fonça répandre l'information. On en fit des gorges chaudes : « Hier, il avait l'air fou amoureux ! Faut pas demander comme elle est cruche : en moins de vingt-quatre heures, Tristan n'en peut plus ! »

Une redoublante trouva spirituel d'aller écrire au savon, sur le miroir des toilettes des filles : « La belle est la bête. » Quand Trémière alla se laver les mains, ses yeux balayèrent le message sans qu'elle éprouvât quoi que ce fût. Embusquée, la redoublante fut si déconfite de son absence de réaction qu'elle déclara avoir la preuve de l'illettrisme de Crémière. Il n'y eut désormais plus de limites à ce que l'on osa affirmer sur son compte.

C'est peu dire que cette curée indifféra Trémière. Du fond de sa souffrance, elle ne la remarqua même pas. Quand les cours prirent fin, elle rassembla ses dernières forces pour rentrer chez elle.

Passerose vit passer un zombie qui monta aussitôt dans sa chambre. Elle l'y rejoignit.

L'adolescente s'était allongée sur son lit, comme si elle se préparait pour son rôle de gisante : paupières closes, visage blême, corps raide.

La grand-mère n'eut pas besoin de poser des questions : elle saisit la main de sa petite-fille et partagea sa douleur glaciale. Elle lui dit que le chagrin d'amour constituait l'épreuve initiatique absolue et qu'il n'épargnait personne.

— Si profonde soit ta souffrance, je te garantis qu'elle finira.

— Je vais mourir.

— Tu ne mourras pas.

— Grand-maman, le froid s'installe en moi. Je sens que je meurs.

Passerose posa sa paume sur le front de l'enfant et prit sa température pour vérifier : 36°. Elle fit couler un bain brûlant et y transporta le corps léger. Elle la força à boire quelques gorgées de calvados. Ensuite, elle la coucha sous un amoncellement de couettes.

— J'ai froid, dit sobrement la jeune fille.

Alors, l'aïeule joua sa dernière carte : elle entra dans le lit et serra dans ses bras l'adolescente congelée. Elle ne relâcha pas son étreinte un seul instant et murmura inlassablement à son oreille : « Ne meurs pas, ne meurs pas. » Au bout d'une heure, Trémière commença enfin à frissonner et la grand-mère sut qu'elle vivrait.

Par précaution, Passerose passa la nuit entière avec elle. L'amour qui les unissait était si fort que le sommeil ne dérangea pas leur étreinte.

Au réveil, Trémière s'étonna :

— Je n'aurais jamais cru que je survivrais.

— Dieu chérit son bien-aimé en le faisant dormir, dit la grand-mère qui connaissait les Psaumes.

— Alors c'est toi Dieu, et c'est moi la bien-aimée, commenta la jeune fille.

Elles restèrent ainsi un long moment, savourant cette joie, qu'elles croyaient simple, d'être deux personnes qui s'aiment.

— Ne dois-tu pas aller au lycée ? demanda l'aïeule.

— C'est samedi.

— Ma chérie, j'ai l'impression que tu vas beaucoup mieux.

— C'est comme si j'étais morte cette nuit et ressuscitée sans ma peine. Grand-maman, je pense que tu es une chamane.

— Un petit-déjeuner au lit, cela t'irait ?

L'adolescente applaudit. Passerose sortit de la pièce et sentit un courant d'air anormal : les fenêtres de sa chambre étaient ouvertes et son coffret à bijoux avait disparu.

La vieille dame eut juste la force de retourner auprès de sa petite-fille, de s'effondrer à côté d'elle et de murmurer : « On m'a volé mes bijoux ! »

Trémière courut vérifier. Le cambrioleur devait être un familier, rien n'avait été déplacé, on n'avait pris que le coffret. Cela signifiait aussi que l'on surveillait Passerose sans relâche puisque c'était la seule nuit où elle n'avait pas porté ses bijoux pour dormir.

« Tout cela à cause de mon chagrin d'amour », pensa-t-elle en retournant au chevet de sa grand-mère. Celle-ci gisait sur le lit comme une reine mourante.

— Veux-tu que j'appelle la police ?

— Cela ne sert à rien, ma chérie. Les bijoux sont perdus.

— Quelqu'un t'observait, grand-maman. As-tu idée de qui ?

— Aucune. Mais il n'y a pas lieu de s'étonner. Certains de ces bijoux étaient parmi les plus célèbres au monde. Ils intéressaient des collectionneurs. N'en parlons plus.

La température de la vieille femme chuta. Trémière voulut sauver sa grand-mère comme celle-ci l'avait sauvée la nuit précédente ; elle se coucha à ses côtés et l'étreignit en lui répétant : « Ne meurs pas, ne meurs pas. » Mais on ne peut pas être chamane à quinze ans : Passerose fut d'autant moins sauvée qu'elle ne tenait plus à la vie.

— Sans mes bijoux, à quoi bon ?

— Et moi, grand-maman ? J'ai besoin de toi.

— Tu vivras, mon enfant. Tu en as la force.

Trémière eut envie de rétorquer qu'elle n'en avait pas le désir. Elle n'en eut pas le temps : la vieille femme mourut à cette seconde. Son regard s'éteignit brusquement : ses yeux restés figés sur elle se vidèrent en un instant de toute lumière.

Très calme, la jeune fille appela Rose pour lui annoncer la mort de sa mère. Elle ne lui raconta pas les circonstances. Tandis que s'enclenchaient les démarches prévues en cas de décès, Trémière retourna auprès de Passerose, lui prit la main et lui dit :

— Le dernier mot que tu as prononcé est force. Cela te va si bien.

Elle sentit combien l'aïeule avait dit vrai : la force qui était en Passerose coulait désormais dans ses veines.

Sa vie changea. Elle vint habiter avec ses parents l'appartement près de la gare d'Austerlitz. Elle quitta le lycée des Adieux pour un établissement parisien. La demeure de Fontainebleau fut mise en vente.

Dans son nouveau lycée, aucune réputation ne l'avait précédée. Elle fut une élève taciturne. On ne lui connut pas de comportement particulier.

À l'exception du jour où, étudiant Baudelaire, le professeur lut en classe le sonnet « Les bijoux ». Quand il prononça : « … et j'aime à la fureur / Les choses où le son se mêle à la lumière », Trémière éclata en sanglots.

Après le baccalauréat, alors que tous les élèves réputés intelligents tentaient HEC ou Polytechnique, voire Centrale, Ponts-et-Chaussées ou les Mines de Paris, Déodat fit des études de biologie à la Sorbonne et puis se spécialisa en ornithologie.

Il consacra sa thèse de doctorat à la huppe fasciée. Les professeurs, intrigués par ce jeune homme d'une laideur à ce point remarquable, le surnommaient Riquet à la Huppe. Il approuva ce sobriquet dont il salua la justesse étymologique, houppe et huppe constituant les deux versions du même mot.

Ce surnom lui allait d'autant mieux que, comme le personnage de Perrault, il plaisait à tous, et particulièrement aux femmes. Avec le temps, il cessa d'accepter leurs si nombreuses avances et devint même très inaccessible, ce qui ne fit que renforcer sa réputation.

Quand il eut vingt-trois ans, le médecin qui le suivait décréta qu'il pouvait désormais se passer du corset qu'il portait depuis huit années :

— Le mal est stabilisé, dit le docteur en l'observant.

— Je suis guéri, traduisit Déodat.

— On ne guérit pas d'une cyphose. Mais votre adolescence s'est terminée sans que le mal empire. C'est un succès.

Le jeune homme ne parvint pas à se réjouir d'un tel constat.

— Ne tirez pas cette tête. Vous allez pouvoir vivre sans corset. N'est-ce pas une bonne nouvelle ?

— Je sens arriver une clause qui me plaira moins.

— Vous allez devoir faire cinq heures de kinésithérapie par semaine.

— Nous y voilà.

— Il faut vous muscler le dos, conclut le médecin en inscrivant le nom et les coordonnées d'un kiné sur l'ordonnance.

En sortant du cabinet, Déodat ressen-

tit un vertige à marcher dans la rue sans
cette camisole de force qui le rigidifiait. Au
bout de deux heures, il dut convenir que
quelque chose clochait : il était épuisé de
devoir compenser par ses pauvres muscles
l'absence de l'armure qu'il commençait à
regretter. La position assise ne le reposait
même pas.

Il prit rendez-vous chez le kiné. Une
secrétaire lui répondit que le docteur Leyde
le recevrait le lendemain à dix-sept heures.

Le docteur Leyde était une Hollandaise
d'une trentaine d'années, au beau visage
sérieux, juché sur un long corps de sportive.

Elle examina le dos du patient. Il frémit
au contact des grandes mains pleines de
science.

Elle se posta avec lui sur un tatami, face à
un immense miroir.

— Je vais vous apprendre les exercices.
Faites comme moi.

Face au miroir géant, Déodat exécuta les
mêmes mouvements que le docteur Leyde.
La comparaison entre leurs deux corps était
humiliante pour lui ; il en eût conçu de la
honte s'il n'était pas tombé presque aussitôt
amoureux de l'imperturbable kinésithérapeute.

Après une cinquantaine de minutes d'exercices, elle lui ordonna de s'allonger sur une couche de cuir molletonné et elle lui massa le dos. Il en éprouva un plaisir tétanisant.

— J'aurais voulu que vous n'arrêtiez jamais, dit-il quand elle le fit se relever puis s'asseoir devant son bureau.

Sans sourciller, elle prit des notes dans un carnet.

— Vous ne devriez pas vous appeler Leyde, dit-il encore.

— On prononce Leÿde, répondit-elle, en femme habituée à de telles réflexions.

Elle lui fixa rendez-vous chaque jour de la semaine à dix-sept heures pour une heure. Lui qui avait envisagé cela comme une épreuve regretta qu'il n'y eût pas plus de rendez-vous.

— Ça ne suffira pas, déclara-t-il.

— En effet. C'est pourquoi vous ferez vingt minutes d'exercices chez vous, chaque jour. Ceux que je vous ai enseignés en début de séance.

Ce n'était pas là la réponse qu'il espérait. Dans la rue, il regarda l'enseigne. Sur la plaque de métal, il était inscrit : « S. Leyde – kinésithérapeute ».

Le lendemain, vêtu comme elle d'un jean stretch et d'un tee-shirt, il lui dit pendant l'échauffement :

— Cent pour cent des femmes qui ont compté pour moi avaient un prénom commençant par un S.

Elle n'eut aucune réaction. Il se sentit lourd mais poursuivit :

— Et se terminant par A.

— Gardez les pieds parallèles.

— Comment vous appelez-vous ?

— Saskia.

Il en fut estomaqué.

— Que c'est beau ! Je n'ai jamais entendu ce prénom.

— La femme de Rembrandt s'appelait Saskia.

Cette nouvelle le plongea dans l'émerveillement. Pour qui aime, découvrir que l'aimée porte un prénom admirable équivaut à un adoubement. On ne cristallise pas de la même façon selon que l'élue s'appelle Saskia ou Samantha.

— S'il vous plaît, concentrez-vous. Rappelez-vous que vous devrez reproduire ces exercices chez vous.

Il raffolait de la manière douce et neutre avec laquelle elle donnait ses instructions.

Elle n'était jamais autoritaire, en femme habituée à être écoutée. Et comment n'aurait-on pas voulu écouter sans cesse cette voix grave et ce curieux accent ?

— Il faut regarder mon corps et non mon visage, dit-elle encore.

Il s'y efforça. Certes, elle avait un corps svelte et gracieux, mais c'était surtout son visage qui l'aimantait. Très brune de peau et de cheveux, une coupe courte avec une frange, coiffure qu'il n'aimait guère mais qui lui allait très bien, des yeux verts aux grandes paupières, des traits immobiles, une expression sérieuse et douce en permanence, une attention aiguë portée au corps du patient, au détriment de ce qu'il disait.

Le massage était un moment de pur bonheur : elle le touchait, le brassait, le malaxait et il pouvait lui parler librement.

— Pourquoi vivez-vous en France ?

— J'ai épousé un Français.

— Depuis combien de temps êtes-vous à Paris ?

— Huit ans.

Il avait honte de lui poser des questions aussi banales.

— Ma maladie est-elle fréquente ?

— De plus en plus rare.

— Combien de temps vais-je devoir avoir besoin de vos services ?

— Deux années.

— Seulement ?

— C'est beaucoup, deux ans.

— Ça ne me suffira pas.

— Vous ferez vingt minutes d'exercices chez vous tous les jours de votre vie.

La séance se poursuivit en silence. « Deux années. J'ai deux années pour la rendre amoureuse de moi », pensa-t-il.

Il n'avait jamais dû conquérir l'amour d'une femme. Les filles avaient toujours pris l'initiative depuis ses quinze ans. Pour la première fois de sa vie, la proie devait endosser le rôle du prédateur.

Déodat n'aima pas cette prédation. Il aurait voulu s'inspirer de la parade nuptiale de l'oiseau jardinier qui créait un véritable parc floral miniature pour séduire l'oiselle. Il se contentait de passer chez le fleuriste avant chaque rendez-vous et d'acheter la fleur qui exprimait le mieux son sentiment du jour. Saskia remerciait poliment, mettait le cadeau dans un vase et commençait la séance.

— Cela ne vous fatigue pas, d'exécuter toujours les mêmes exercices avec moi ?

— C'est mon métier. Non, ça ne me fatigue pas.

Son égalité d'humeur le déconcertait. Les seuls moments où il pouvait discuter avec elle étaient ceux des massages. Cela le désolait, car il aurait préféré profiter en silence du plaisir qu'elle lui donnait. Mais il fallait bien qu'il parvienne à l'intéresser.

— Je suis ornithologue, annonça-t-il au bout de quelques séances.

Il avait l'habitude que cette déclaration produise son effet. Saskia se contenta de répondre :

— C'est un beau métier.

Rebondir là-dessus ne fut pas facile.

— Vous au moins, vous ne me demandez pas à quoi cela sert. C'est une question qui me hérisse. Nous vivons dans une société où il faut que les choses servent. Or, le verbe servir a pour étymologie être l'esclave de. Et s'il y a bien un animal qui incarne l'idée de liberté, c'est l'oiseau. On croit habituellement qu'un ornithologue travaille à la protection de l'espèce aviaire : ce n'est qu'une partie de son travail. Pour moi, l'ornithologie consiste aussi à suggérer à l'homme d'autres pistes. Saint François d'Assise est à ce titre un ornithologue selon mon cœur, lui qui proposait à l'homme l'insouciance des oiseaux. Le problème est qu'il n'y connaissait pas grand-chose, car en vérité la liberté des oiseaux ne repose sur aucune insouciance. Ce que l'oiseau nous apprend, c'est que l'on peut être libre pour de bon, mais que c'est difficile et anxiogène. Ce n'est pas pour rien que cette espèce est toujours sur le qui-vive : la liberté, c'est angoissant. Contrairement à nous, l'oiseau accepte l'angoisse.

Il se tut, attendant une réaction qui ne vint pas. Saskia le massait avec application.

— Étudier l'oiseau, c'est s'intéresser à une expérience radicalement autre. On me demande parfois comment éviter l'anthropomorphisme, la propension à tout interpréter de notre point de vue ; les trois quarts du temps, les comportements aviaires sont incompréhensibles. L'erreur consisterait à vouloir les traduire : il est merveilleux de respecter leur opacité. C'est aussi ce qui confère à cette espèce une aussi authentique noblesse : la grande majorité de ses actes n'ont pas d'utilité.

L'ennui de parler en étant allongé sur le ventre, c'est qu'on ne voit pas l'expression de son interlocuteur.

— Vous vous en fichez, de ce que je vous raconte ?

— Non. C'est très instructif.

« Instructif » : il eut du mal à supporter le mot. « Instructif », ça sonnait comme une insulte. Il se tut jusqu'à la fin du massage, ce qui ne dérangea pas plus Saskia que son monologue. Tout lui allait : qu'il la courtise, qu'il boude, qu'il tente de l'éblouir, qu'il lui offre des fleurs, qu'il ait l'air désespéré, elle ne semblait même pas remarquer ses variations de comportement.

En revanche, elle observait son dos avec la plus extrême vigilance. Un lundi, elle lui dit :

— Vous n'avez pas fait vos exercices ce week-end.

— En effet.

— Il ne faut plus oublier. Vous êtes en train de vous construire une musculature dont dépend la suite de votre vie. Deux jours de relâche, c'est beaucoup de temps perdu.

— J'aime être bossu. Toucher la bosse d'un bossu, cela porte bonheur.

— Les bossus mouraient prématurément d'asphyxie. Ce n'est pas ce que vous voulez, non ?

— L'écrivain Italien Erri de Luca suggère qu'un bossu est un homme à qui des ailes sont en train de pousser dans le dos.

— C'est très joli mais c'est faux. Je vous demande de prendre mes consignes au sérieux.

Encouragé par le ton plus véhément que de coutume de la kinésithérapeute, Déodat se crut autorisé à lui écrire une lettre d'amour qu'il déposa sur son bureau à la fin de la séance suivante. Le lendemain, elle le reçut avec sa bienveillance habituelle. Il attendit le massage pour lui parler.

— Vous avez lu ma lettre ?

— Oui.

— Et comment avez-vous l'intention d'y réagir ?

— Comme vous voyez.

— Cela vous est complètement égal que je sois fou amoureux de vous ?

— Ce n'est pas ce que je disais.

— Vous disiez quoi, au juste ?

— Rien.

— Vous allez me pousser au suicide.

— N'y pensez pas !

— Qu'est-ce que cela peut vous faire ?

— Vous êtes mon patient.

Cette réponse le stupéfia. Elle sembla

aussi étonnée que lui par ce qu'elle avait dit. Il profita de cette brèche dans la carapace de la kinésithérapeute pour se redresser, l'attraper et l'embrasser. Elle ne se débattit pas, ni lors du baiser, ni lors de ce qui suivit. Il la trouva même plutôt enthousiaste.

— Vous acceptez cela de tous vos patients ?

— C'est la première fois.

— Pourquoi ?

— Je ne sais pas. Vous ne m'avez pas laissé le temps de me poser la question.

Ce devint une habitude. Cinq fois par semaine, au terme de la séance, à la place du massage, ils faisaient l'amour. Comme il était le dernier patient de la journée, cela ne dérangeait pas son planning. Pour autant, il ne fallait pas s'éterniser : Saskia voulait rejoindre son mari.

— Vous l'aimez ?

— Ça ne vous regarde pas.

— Et moi, vous m'aimez ?

— Ça ne vous regarde pas.

— Si, un peu, quand même.

Elle était très douée pour s'en aller sans répondre. Déodat la regardait s'éloigner à la hâte : « Une pinsonne. Seule la pinsonne est capable d'un coup pareil. Aucun autre

140

oiseau ne commettrait cette infidélité. » Il observait son comportement à l'aune des mœurs aviaires, d'abord parce qu'il l'aimait, ensuite parce qu'elle échappait à toutes les règles de l'adultère humain : à l'évidence, Saskia n'avait pas mauvaise conscience, elle n'était pas déchirée. Quand il couchait avec elle sur la table de massage, il voyait bien qu'elle n'éprouvait pas l'ombre d'un état d'âme.

— Cela vous suffit ? Vous n'avez pas envie de mieux me connaître ?

Elle haussait les épaules. Aucun mépris dans son attitude. Elle couchait avec lui, voilà. Pas de quoi en faire une affaire.

Il l'admirait pour cela. Comme il aurait voulu, à son exemple, avoir les mœurs du pinson ! Il souffrait de son attachement humain à cette femme si équilibrée qu'elle en était inhumaine. Et il se maudissait d'avoir tant reproché à ses amies passées leur insatisfaction : il aurait pleuré de joie si Saskia avait manifesté un peu de ce qu'il avait pris pour la tare féminine par excellence et dont il incarnait à présent le pendant masculin.

Oui, il était profondément insatisfait de cette liaison. Et il s'indignait que la kinésithérapeute s'en contentât. Et quand il s'en plaignait auprès d'elle et qu'elle finissait par lui dire ce que lui-même avait dit mille fois en pareil cas – «Nous devrions peut-être arrêter» –, il souffrait le martyre.

«Tu récoltes ce que tu as semé», pensait-il, et, loin de le consoler, son raisonnement le suppliciait. Comme il était horrible d'aimer! «En amour, il y en a toujours un qui souffre et l'autre qui s'ennuie», disait l'adage. Il avait tant de fois été celui qui s'ennuyait et, à présent, il découvrait l'autre rôle avec effroi. Il regrettait l'ennui, cette posture si élégante et douce, si étrangère à l'humiliation qu'il vivait désormais.

— Vous ennuyez-vous avec moi?

— Non, jamais.

«Normal, c'est une pinsonne. Il faut que j'arrête de projeter sur elle des sentiments humains.»

— Et vous ennuyez-vous de moi quand je ne suis pas là?

Les yeux de la pinsonne s'arrondirent d'étonnement, ce qui constituait une réponse éloquente et désespérante.

Tant de fois, il avait enjoint à ses amoureuses passées de voir ce qu'elles avaient au lieu de déplorer ce qu'elles n'avaient pas.

Pris à son propre jeu, il mordait la poussière. « Sort étrange que le mien ! Je me passionne pour les oiseaux depuis mon enfance et maintenant que je suis amoureux d'une oiselle, c'est la catastrophe. »

Par ailleurs, il ne pouvait s'empêcher de persévérer dans son entreprise de séduction. Quand il exécutait avec elle les exercices censés lui muscler le dos, il tentait de l'éblouir par sa conversation.

Il lui raconta sa conférence à la Ligue de protection des oiseaux. En présence d'Allain Bougrain-Dubourg et de ses pairs, il avait exposé le contenu de sa thèse sur la huppe fasciée. Cet oiseau abondait dans l'Égypte des pharaons, où son aspect étrange suscitait la méfiance. Fallait-il voir en lui l'ennemi du faucon Horus ? Une commission de prêtres parmi les plus sages se réunit pour discuter de cette grave question avec, à la clef, un projet très sérieux d'extermination de cet oiseau dont le couvre-chef semblait une parodie de celui des souverains en place. Ce fut le moment que choisit l'une des plus fameuses plaies d'Égypte pour venir s'en donner à cœur joie. Des nuées de sauterelles ravagèrent la moitié des récoltes et auraient certainement dévoré l'autre moitié si des colonies de huppes, alléchées par ces délicieux insectes, ne les avaient préalablement avalés.

Dès lors, les hiérarques changèrent d'avis à cent quatre-vingts degrés au sujet de cette espèce : si comme les souverains la huppe portait le pschent, ce n'était pas par dérision, mais au contraire pour le glorifier. Cet oiseau protégeait les pharaons de toute éternité, d'où la prospérité de la haute et de la basse Égypte. Fallait-il l'élever au rang de divinité ? Non, Horus était déjà l'oiseau dynastique, il ne fallait pas tout mélanger ni susciter la jalousie des faucons, dont on avait également besoin. Alors la huppe fasciée eut droit au deuxième adoubement le plus colossal après la divinisation : elle devint un hiéroglyphe. Bien évidemment, l'hiéroglyphe à son effigie ne signifiait pas huppe fasciée – c'eût été trop simple –, mais, en fonction des contextes de cette langue archicomplexe, « protection » ou bien l'adjectif « glouton », ou encore un terme peu aimable pour se moquer des bègues, sans doute par allusion onomatopéique à son cri que l'on notait UPUPA.

Déodat terminait sa thèse par ce constat désabusé sur les gouvernements, qui n'avaient pas évolué depuis l'époque des pharaons : aussi longtemps que les dirigeants ne voyaient pas de raison concrète de sauver un oiseau, il ne se passerait rien. On pourrait s'époumoner en discours beaux, nobles et justes sur le fait qu'une espèce n'a pas besoin de servir à quelque chose pour être préservée, on prêcherait dans le désert. Aux politiques, il fallait parler leur langage, sauf à ne pas être entendu. C'est à cela que la huppe fasciée avait dû son salut. Les invasions de sauterelles restaient d'actualité et il n'y avait rien de tel pour terrifier les gouvernements.

— À vingt-cinq ans, me voici chargé d'affaires à la section parisienne de la Ligue de protection des oiseaux.

— Il y a des huppes à Paris ?

— Non, mais il y a des gens huppés que l'on peut convaincre de verser des fonds à la LPO.

Allain Bougrain-Dubourg prit l'habitude de paraître dans les médias en compagnie de ce jeune homme dont le physique frappait et dont l'éloquence marquait les esprits. En peu de temps, Déodat acquit une célébrité non négligeable. Il séduisait tout le monde, à l'exception de sa kiné.

Il s'en voulait de ces raisonnements. Elle ne lui devait rien. Et d'ailleurs, elle se conduisait loyalement envers lui. Elle ne lui avait jamais rien promis. Honnête, elle l'accueillait en souriant et souriait en lui disant au revoir.

— J'ai vu le portrait de Saskia Rembrandt, elle n'a pas votre grâce, lui dit-il un soir.

— Les goûts ont changé. Je suis brune, grande et mince : à l'époque, on m'aurait trouvée laide.

— On n'est pas sûr que Rembrandt aimait sa femme.

— Comment peut-on affirmer que quelqu'un aime sa femme ? Ou le contraire ?

Déodat aurait pu approfondir le sujet. Il décida de rester sur ce propos énigmatique : il pouvait l'interpréter en un sens qui lui convenait.

— Pourquoi ne m'a-t-on pas opéré ? Il paraît que l'on opère les enfants bossus, aujourd'hui ?

— Vous aviez quinze ans quand vous avez été diagnostiqué. Il était trop tard pour vous opérer. Et puis, votre cyphose était légère. Un traitement léger a suffi.

— Huit ans de corset et puis vous : je n'appelle pas cela un traitement léger.

Elle rit.

— Qu'est-ce qui est pire ? Le corset ou moi ?

— Vous. Le corset, je pouvais l'enlever la nuit. Vous, c'est la nuit que je vous sens le plus.

— Si vous me sentez, ce n'est pas si mal.

— Je vous sens, cela signifie que je sens le manque de vous.

— C'est bon, le manque, quand on sait qu'il sera comblé.

— Il ne l'est jamais.

— Ne vous plaignez pas trop. Vous n'êtes pas si malheureux.

Il saisit qu'il ne fallait pas insister. Elle pouvait très bien cesser de lui accorder ses faveurs. Coucher avec elle, cela ne lui suffisait pas. Mais ne plus coucher avec elle eût été mille fois pire. Il n'osait même pas lui poser la question terrible qui le hantait : que se passerait-il quand le traitement s'achèverait ? Il avait trop peur de la réponse parce qu'il la devinait.

Entre-temps, il savourait ce qu'elle lui donnait, avec l'angoisse ardente de la précarité amoureuse. Étrangement, ce qu'il préférait n'était pas les moments où ils faisaient l'amour, mais les instants où, lors d'un exercice, elle lui touchait le dos pour immobiliser, indiquer ou vérifier. Un jour, pour encourager son patient épuisé, elle lui saisit la main : il fut traversé d'une onde de plaisir si violent qu'il le cacha, faute de lui trouver une expression adéquate.

Quand Saskia approuvait un mouvement accompli comme il le fallait, elle disait de sa voix douce :

— Bien. Très bien.

Déodat éprouvait alors une joie qui lui était inconnue, une joie d'enfant, la joie d'un enfant qu'une fée observe sans dégoût, d'un regard vrai, indifférent à sa laideur et à sa réputation, et il avait conscience de la justice que cette femme lui rendait, et son cœur débordait de gratitude envers elle.

Dans le vain espoir qu'elle lui raconte ses week-ends, il lui parlait des siens :

— Je ne participe plus jamais à ces expéditions de *birdwatching* de la LPO. Ce que j'aime, dans l'observation des oiseaux, c'est être seul. Me retrouver claquemuré sous la tente avec d'autres êtres humains, subir leurs commentaires sur la mésange rémiz, très peu pour moi.

— Vous quittez rarement Paris ?

— Les oiseaux de Paris me ravissent. Peu m'importe qu'ils soient peu variés. Quand on aime vraiment les moineaux, on reconnaît les individus. Ce n'est plus le piaf, c'est Charles, c'est Maxime, c'est Joséphine que j'observe. Leur dédain industrieux de notre espèce me fascine. Ils ignorent nos mœurs mais ils exploitent nos miettes et nos fibres. L'authentique Parisien, c'est le moineau et non le râleur du trottoir. Voulez-vous aimer Paris ? oubliez l'homme, ne regardez que ce qui volette et sautille. Parfois, je passe le week-end à poursuivre des yeux une moinette unique, qui habite le jardin du presbytère de Notre-Dame.

— Elle a dû vous repérer.

— Même pas. Il peut arriver que ce soit une grâce d'être si peu remarqué par qui vous observe.

Le « Il peut arriver » cachait un monde de sous-entendus qui ne furent pas relevés.

Un soir, comme ils se rhabillaient, Saskia le regarda longuement. Au moment de partir, elle dit que c'était la dernière séance :

— Il faudra continuer de faire vos vingt minutes d'exercices par jour.

Dévasté, Déodat eut un mal fou à retrouver la voix :

— Je ne vous verrai plus ?

— La rééducation est terminée.

— Mais je ne suis pas guéri ! Je ne peux pas vivre sans vous !

Elle soupira, lui prit gentiment la main et dit :

— Si vous deviez négliger vos exercices, retenez-en un seul, le plus simple : celui où, les paumes à plat sur un mur en face de vous, vous vous penchez de manière à avoir le dos droit. Ce mouvement tout bête peut vous sauver.

Dans la rue, elle lui caressa la joue, se retourna et s'en alla. Cloué au sol, Déodat resta immobile une éternité.

Quand il parvint enfin à rentrer chez lui, il s'effondra. « Huit années de corset, deux années de kinésithérapie intensive, tout ça pour me tenir droit – et au final, je ne tiens même pas debout ! »

Il attrapa le grand livre sur Rembrandt qu'il gardait à son chevet et le feuilleta à la recherche d'un secret qui aurait pu le sauver. Hélas, page après page, la beauté se taisait inexorablement. Soudain, il se posa la question qui aurait dû surgir deux années plus tôt dans son cerveau : « Ce damné Hollandais a-t-il peint des oiseaux ? »

Il ne savait pas si son livre était exhaustif, mais il n'y trouva qu'un seul représentant de la gent aviaire. C'était une étude de personnage pour un tableau qui s'appelait : *Tête d'Oriental avec oiseau de paradis.* Et l'oiseau, devant l'Oriental indifférent, était mort. « Voici qui aurait pu m'ouvrir les yeux plus tôt », se dit-il en pleurant.

Si le titre de l'œuvre ne l'avait pas indiqué, il n'aurait pas identifié le petit cadavre comme celui d'un oiseau de paradis. « Une pie-grièche, peut-être », ou davantage un oiseau de l'Enfer. Au moins Rembrandt avait-il songé à dessiner un oiseau. Déodat était toujours sidéré par le nombre d'artistes qui n'avaient jamais représenté d'oiseaux. Qu'on ne partage pas son obsession, il pouvait le comprendre. Cependant, l'oiseau était le seul animal qu'on ne pouvait éviter de croiser au quotidien, il suffisait de lever les yeux au ciel pour en apercevoir un. Ne pas représenter d'oiseau était une forme de déni aussi absurde que ne jamais peindre le ciel.

Il appelait ce phénomène l'ingratitude de

Lascaux. Les chefs-d'œuvre de la célèbre grotte montrent des bêtes remarquables, aurochs, bisons, chevaux; on y chercherait en vain les rennes ou les oiseaux appartenant au quotidien – et quand on les repère enfin, ils y sont dessinés aussi schématiquement que la moins intéressante des créatures, l'homme. L'art a une tendance naturelle à privilégier l'extraordinaire.

«Il va falloir apprendre à vivre sans la pinsonne», osa-t-il se formuler. Il pleura à nouveau. Sans jamais lui parler d'amour, Saskia lui avait infiniment plus apporté que toutes les femmes qu'il avait connues auparavant.

Quand un humain vient de souffrir d'un grave chagrin d'amour, soit il demeure célibataire très longtemps, soit il se marie aussitôt. Déodat commit la sottise précitée.

Il avait toujours plu aux femmes et sa notoriété n'avait fait qu'aggraver la chose. La première qui lui dit qu'elle l'aimait fut la bonne: il avait tellement espéré ces paroles dans la bouche de Saskia que la nouvelle venue bénéficia du prestige de ces mots.

Le lendemain des noces, Séréna changea de langage. Déodat aurait dû s'en amuser si cela n'avait entraîné une modification

radicale de sa voix. Lorsqu'elle s'exclamait :
« Putain de merde, où sont mes pompes ? »,
il ne reconnaissait absolument pas l'appareil phonatoire de celle qui lui avait dit : « Je remets ma vie entre tes mains, mon chéri. »

Si cela n'avait été qu'épisodique, cela ne l'eût pas dérangé. Or, en présence de son mari, Séréna ne parlait plus autrement. Mais ce qui perturba le plus l'époux, c'est que l'irruption du moindre tiers suffisait à rendre à l'épouse la voix exquise et distinguée qui l'avait charmé.

Il osa aborder le sujet.

— Quoi, on est mariés depuis deux jours et tu es déjà chiant ? s'écria-t-elle.

Il n'avait rien contre une poseuse mais déplorait la marchande de poissons. En équivalent langagier cela correspondait aux bigoudis des épouses d'autrefois : une fois mariée, la femme n'hésitait plus à s'exhiber devant son mari la tête couverte des petits rouleaux de plastique rose. Déodat appela ce phénomène le bigoudi verbal.

L'effet de contraste entre la langue utilisée pour les autres et celle qui lui était réservée n'était pas seul en cause. Les bigoudis verbaux s'accompagnaient de tous les symptômes de la lassitude matrimoniale : soupirs exaspérés, yeux au ciel, fatigue perpétuelle. Ce n'était pas drôle.

— Si tu es déjà comme ça après trois jours de mariage, comment seras-tu dans trois mois ?

— Ça y est. C'est reparti !

— Divorçons.

Ce projet fut salué d'une bordée d'insultes qui persuadèrent le mari de tenir bon. L'avocat qui reçut la demande de divorce regarda la date du mariage et commenta :

— Record battu.

Par bonheur, le jeune couple n'avait pas encore acheté d'appartement, ni d'ailleurs quoi que ce fût. Il n'y eut que d'étranges souvenirs à partager.

Un beau matin, Déodat contracta d'épouvantables douleurs dorsales. Tandis qu'il souffrait seul devant sa tasse de café, il se rappela les dernières paroles de Saskia. Il se leva, bras à angle droit, et pivota le bassin de manière à avoir le dos droit. Il répéta le mouvement un grand nombre de fois. Au bout de cinq minutes, son mal avait disparu.

Il se rassit et termina sa tasse de café en proie à la satisfaction : débarrassé de la poissonnière, il lui était désormais loisible de penser à celle qu'il aimait. S'il avait fallu ce

154

mariage calamiteux pour ne plus éprouver d'amertume envers Saskia, il n'y avait **rien à** déplorer.

Trémière obtint le baccalauréat sans mention et décida de commencer aussitôt à travailler.

Une belle fille qui ne veut pas faire d'études suscite bien des sarcasmes. Dans le meilleur des cas, on saluait sa lucidité avec des sourires entendus.

Rose confia son inquiétude à son mari :

— Notre fille mesure un mètre soixante-dix. Elle ne peut pas être mannequin. Comment va-t-elle gagner sa vie ?

— Elle semble avoir un projet, répondit Lierre.

Il disait vrai. Parmi les clients de la galerie d'art maternelle figurait un ponte de Trébuchet, le célèbre joaillier de la place Vendôme. Lors d'un vernissage, la jeune fille lui avait tenu ce langage :

— J'ai observé vos campagnes publicitaires. Vous recourez à des mannequins mains ou à des mannequins cou. J'ai dix-huit ans, mon visage n'a jamais été montré. Il pourrait devenir emblématique de la joaillerie Trébuchet.

L'homme d'affaires aurait eu de quoi lui répondre sur les techniques commerciales très particulières du monde de la joaillerie mais il y renonça. Le culot de Trémière lui plut. Sa réputation de bêtise n'était pas arrivée jusqu'à lui. Par ailleurs, elle avait une peau d'un éclat particulier : cette nacre appelait l'or et l'argent. Que perdait-on à essayer ? Il lui donna rendez-vous.

Quand les bijoutiers la parèrent de diverses pièces, elle cacha comme elle put son frémissement de plaisir. Celui-ci n'en irradia pas moins sur les photos qu'on prit d'elle.

— Une paire de boucles d'oreilles et un tour de cou, qu'est-ce que cela change une femme ! J'ai beau le savoir, cela m'épate toujours, déclara le ponte.

Trémière sourit. Elle savait que c'était beaucoup plus mystérieux. Elle se garda bien de dire qu'en vérité porter des bijoux fabuleux était un art, et qu'elle était trop jeune pour le pratiquer à son degré sublime.

— Il se passe quelque chose, dit sobrement le P-DG de Trébuchet quand il vit les photos.

La campagne d'affichage fit grand bruit. On salua combien, par la seule grâce d'un visage inconnu, on mettait en valeur ces œuvres d'art. Paris s'interrogea : qui était cette fille ? À qui pouvait appartenir une figure si apte à rehausser l'éclat d'une pierre, un regard à ce point hypnotique ?

Trébuchet respecta la procédure. Après avoir gardé le secret pendant la durée réglementaire, on livra la jeune fille aux médias. Ce moment représente toujours un risque : la magie va-t-elle opérer ? La personne décevra-t-elle ? Le ramage se rapportera-t-il au plumage ?

Le prénom, qui avait été l'une des principales tares de la fillette, fascina. Il lui permit d'emblée de ne pas avoir de patronyme. Le reste fut à l'avenant : Trémière avait le talent de la réponse lacunaire. Elle savait d'expérience combien le monde haïssait la beauté et ne demandait qu'à la traduire en sottise. Au lieu de s'inventer une légende, elle dissimula que l'idée d'apparaître était la sienne.

Ainsi, le président de Trébuchet put dire à qui voulait l'entendre que lorsqu'il avait découvert ce visage « au cours d'une soirée où la belle esseulée semblait tant s'ennuyer », il avait eu la révélation : ce serait sa muse, il n'y en aurait pas d'autre.

On adora cette déclaration. On aima Trémière. Elle joua finement en refusant toutes les propositions qu'elle reçut.

— Vous portez les bijoux comme personne, remarquait-on. Comment l'expliquez-vous ?

— Je les aime d'amour.

Elle ne raconta pas qui lui avait enseigné cet amour. Cela ne regardait qu'elle. Même Rose ne connaissait rien du secret de Passerose.

— Les aimer d'amour, n'est-ce pas excessif ? Ce ne sont jamais que des bijoux, après tout.

— Aimer, ce n'est pas surestimer. Certains bijoux ne m'inspirent rien. Ce qui fait la valeur d'un bijou, c'est l'amour qu'il suscite. Certains artistes sont capables d'insuffler une âme dans le métal ou dans la pierre, ou plutôt de les sculpter et de les sertir de manière à révéler leur âme. Ce qui a lieu entre un bijou pourvu d'âme et une personne qui le porte en faisant vibrer cette âme s'appelle l'amour.

— Refusez-vous de poser avec certaines parures?

— Bien sûr. Jamais par caprice, mais parce que certaines ne me vont pas, parce que je ne peux pas toutes les aimer.

Trémière avait le talent de couper court quand elle sentait qu'on allait l'entraîner trop loin. Sans un mot de plus, elle s'en allait.

On lui proposa des contrats annexes à n'en plus finir : des rôles au cinéma, des marrainages, du mannequinat de vêtements, d'incarner un parfum, et bien sûr de porter d'autres parures que celles de Trébuchet. Elle eut la sagesse de tout refuser sans hésiter. Elle avait conscience de la fragilité de son rôle : si auparavant les joailliers n'avaient pas engagé d'égéries, c'était parce qu'ils voulaient accorder la première place aux bijoux. Elle ne voulait en aucun cas leur voler la vedette. Précisément, elle savait comment rester en retrait quand elle arborait une merveille. Si elle se pensait destinée à ce métier, c'est parce qu'elle se trouvait quantité négligeable.

Une seule personne importante dans

sa vie l'avait admirée : sa grand-mère. Elle aimait trop Passerose pour croire qu'elle s'était trompée à son sujet. Pourtant, elle n'oubliait pas le nombre de gens qui, à tort ou à raison, l'avaient proclamée stupide : pour ce motif, elle demeurait prudente.

De nombreux prétendants l'abordèrent. Elle n'eut pas la vanité de les envoyer tous paître. Elle vécut quelques histoires plus ou moins intéressantes et remarqua sans tarder que ne pas être amoureuse rendait ces liaisons ennuyeuses. Les hommes qu'elle quittait disaient qu'elle était froide comme un bijou.

« À cause de Tristan, je ne serai plus amoureuse », se disait-elle avec indifférence. Elle trouvait déjà miraculeux d'avoir réussi à gagner sa vie. « Ma propre mère ne m'en pensait pas capable. »

Paris a toujours faim de célébrités et s'usait les dents sur Trémière sans parvenir à la mordre. La jeune femme n'offrait pas de prise, on ne savait par où l'attraper. Elle était anormalement peu susceptible. Elle semblait ne pas remarquer les piques et ne les relevait jamais. La vérité était qu'on l'avait tant insultée depuis son enfance qu'elle ne s'en apercevait même plus. Et l'humeur égale qu'elle manifestait face aux injures l'apparentait à une grande dame.

— Cette petite a une classe folle, disaient les matrones, qui voyaient en elle la bru idéale.

Les hommes étaient plus intrigués que séduits. À tant de beauté, il manquait quelque chose, mais quoi ? La question était trop subtile pour les intéresser vraiment.

Les livres que l'on se sent appelé à lire sans savoir pourquoi étant souvent l'expression du destin, Trémière tomba dans une librairie au rayon « Enfants » sur *Riquet à la Houppe* de Perrault et sut qu'il lui fallait le lire. Ce petit conte délicieux l'aurait charmée si elle ne s'y était si gravement reconnue : « Cette belle, c'est moi. Ce n'est pas tant qu'elle est sotte, c'est qu'elle n'a pas d'esprit. »

Une note en bas de page attira son attention : « Dans la littérature facétieuse, donner de l'esprit signifiait s'initier à l'amour physique. » Trémière relut le conte à la lueur de cette information. Il en ressortait que le hideux Riquet avait beaucoup d'aventures galantes, quand la belle n'en avait aucune. « C'est la vérité, pensa-t-elle. Depuis quand n'y a-t-il plus eu d'homme dans mon lit ?

Hélas, est-ce ma faute s'ils me lassent tous ? Par ailleurs, si j'avais de l'esprit, peut-être serais-je capable de trouver du plaisir à leur compagnie ? Mais, continua-t-elle, s'il me faut pour cela rencontrer un Riquet à la Houppe, sous prétexte que je suis sans esprit, je devrai me contraindre à accepter l'amour d'un monstre. »

Si elle n'avait pas fait de ce conte une lecture si injustement masochiste, elle aurait pu apprécier son exquise absence de morale. On sent que Perrault éprouve de la tendresse pour cette belle comme pour Riquet. Il veut les délivrer d'une malédiction absurde pour leur donner l'absurde bonheur de l'amour qu'ils méritent tout autant que n'importe qui.

Toujours est-il que, traumatisée par son interprétation du conte, Trémière se mit à observer les hommes laids avec méfiance. Elle cessait de respirer et leur jetait des regards de mépris. Il y eut des âmes basses pour s'apercevoir de ce manège. C'est ainsi que l'animateur d'un show télévisé à succès eut l'idée d'inviter sur son plateau l'égérie du joaillier pour la confronter à ce brillant ornithologue au physique repoussant. « On va rigoler», annonça-t-il à son équipe. Pour noyer le poisson, il invita également un fameux fabricant de pneus et une sportive de haut niveau.

Trémière, qui n'avait pas de téléviseur, ne connaissait aucune de ces personnalités. Trébuchet la pressa d'accepter de participer à cette émission qui bénéficiait d'une audience considérable. La jeune femme y vit d'autant moins d'inconvénient qu'entre-temps lui était arrivé le livre de Déodat, *Un règne ignoré*. Cet essai la passionna, qui soutenait que les plus grandes civilisations avaient attribué à l'oiseau une place immense quand la nôtre le reléguait aux volières. Chez les Égyptiens, les oiseaux étaient des déités, qui avaient inspiré la forme d'une quantité d'hiéroglyphes. Chez les Grecs et les Romains, l'observation de leur vol était sacrée, qui renseignait les hommes quant à leur destin. L'âge d'or des Persans voyait dans *La Conférence des oiseaux* la source mystique la plus sublime. La quasi-totalité des géoglyphes, ces énigmatiques œuvres d'art amérindiennes visibles des seuls dieux, représentaient des oiseaux mythologiques. Au douzième siècle, François d'Assise avait eu le coup de génie de s'inspirer du passereau pour créer sa règle monastique. Toutes les religions avaient ceci de commun avec le chamanisme qu'elles désignaient l'oiseau comme intercesseur entre le Ciel et la Terre, entre la divinité et l'homme. Qu'à présent on fasse si bon marché de la survie de ce tiers ailé en disait long sur le court terme auquel on se condamnait. Et si l'ornithologie demeurait le dernier bastion d'une aspiration intelligente à la verticalité, n'était-il pas plus urgent que jamais de se mobiliser pour elle, au lieu d'y voir un sympathique passe-temps pour citadins à jumelles?

La jeune femme referma le livre en se demandant pourquoi elle s'était si peu intéressée à l'avifaune au cours de sa vie. «Pourtant, j'aime les oiseaux», se dit-elle. En cela, elle réagissait comme 99,99 % des gens. On rencontre extrêmement peu d'individus qui haïssent les oiseaux. Mais autant la disparition des pandas bouleverse n'importe qui, autant le sort d'une multitude d'oiseaux indiffère, parce que l'identification est très difficile. Il est quasi impossible d'attraper le regard aviaire, et si l'on y parvient, on n'y lit rien qui ressemble à nos sentiments. En cela, l'oiseau est un peu le poisson du ciel. Même les plus fervents défenseurs de la cause animale mangent du cabillaud sans état d'âme, pour ce motif qu'on a du mal à lui prêter ses propres émotions. L'anthropomorphisme a encore de beaux jours devant lui.

Si Trémière avait été plus ordinaire, elle serait allée chercher Déodat Eider sur Google et aurait découvert son visage. «Je vais le rencontrer sur le plateau, il sera toujours temps», pensa-t-elle.

L'émission à laquelle elle devait participer était enregistrée le jeudi après-midi. Les invités devaient arriver à quatorze heures trente. Le plus souvent, on ne les relâchait que vers vingt et une heures. Tout cela pour un talk-show qui durait au maximum une heure et demie. On conduisait chaque vedette dans une loge à son nom, dans laquelle un somptueux bouquet de fleurs, une bouteille de champagne de luxe et un plateau de fruits semblaient une promesse de bonheur. La personnalité soupirait d'aise de se voir si bien accueillie. Après une heure de solitude, on lui envoyait la maquilleuse, que la célébrité recevait avec le soulagement d'Edmond Dantès découvrant l'abbé Faria.

Hélas, le pomponnage n'avait qu'un temps. Très vite, l'invité était rendu à sa déréliction devenue d'autant plus cruelle qu'il l'avait crue terminée. Passaient ainsi des heures dont personne n'imagine ni la durée ni le pouvoir anxiogène.

La tactique la plus courante à laquelle recourait l'otage consistait à sortir de sa loge pour chercher des commodités. Immanquablement, quelqu'un était posté pour lui dire avec une amabilité surjouée : « Vous avez des toilettes dans votre loge. »

En vérité, l'enregistrement ne commençait jamais avant dix-sept heures trente. Les trois heures de battement n'avaient d'autre fonction que de fragiliser l'invité et d'augmenter les probabilités qu'il craque sur le plateau. Une célébrité qui pétait les plombs lors d'un faux direct, c'était pain bénit pour l'audience.

— Cette Trémière m'a l'air d'avoir un potentiel hystérique formidable, décréta l'animateur. Que personne, à part la maquilleuse, n'entre dans sa loge.

C'était sans compter avec la très longue expérience de la solitude qu'avait connue la jeune femme. Quand elle comprit que son isolement était inéluctable, elle recourut à une technique qu'elle avait élaborée lors de sa petite enfance et que, ô prodige, elle n'avait pas perdue en grandissant : elle regarda.

Il s'agissait de fixer n'importe quel objet, de préférence le plus quelconque, jusqu'au moment où celui-ci révélait son secret. Il n'existait pas pour elle de choses insignifiantes, il n'existait que des choses qui n'avaient pas été regardées au degré de profondeur où apparaissait leur étrangeté.

Trémière dédaigna le plateau de fruits ou le bouquet de fleurs – trop faciles – et choisit la boîte de kleenex, sans marque, un paquet de carton rectangulaire d'où jaillissait l'amorce d'un mouchoir en papier. Elle darda sur lui ses yeux et se concentra. Au bout d'une dizaine de minutes se produisit la magie : la boîte devint translucide et laissa transparaître l'étoffe phosphorescente des mouchoirs, une dentelle arachnéenne comparable aux merveilles de Bruges et de Calais. Quant au kleenex à demi émergé du paquet, c'était une gaze moirée dont le plissé subtil évoquait l'art du Bernin. On pouvait le laisser croître par la contemplation jusqu'à lui donner le métrage d'un rouleau de soie et s'y tailler mentalement une robe à usage unique, aussi légère à porter que la nudité.

Le pronostic de l'animateur ne se vérifiait pas : celui qui vécut très mal son isolement, ce fut Déodat.

La journée n'avait pas bien commencé. Féru de lecture, il n'avait plus rien à lire. Il s'était rendu dans sa librairie habituelle et avait lu les premières pages d'une quinzaine de livres sans accrocher. La libraire vint le conseiller et ne le convainquit pas. Cet omnivore ne trouvait rien à son goût : essais, romans, recueils de nouvelles, grands écrivains, auteurs émergents, tout lui tombait des mains. En désespoir de cause, il s'était rabattu sur le rayon « Ornithologie », pour s'apercevoir qu'aucune nouveauté ne lui avait échappé en ce domaine.

Il était reparti bredouille. Il détestait se sentir orphelin de livres, comme si aucun bouquin n'avait voulu de lui : il demeurait persuadé que c'était les ouvrages qui adoptaient leurs lecteurs et non le contraire. Orphelin a pour étymologie Orphée, ce qui lui semblait absurde, sauf dans ce cas précis de déréliction.

L'après-midi, quand il comprit que sa loge

était une prison où il ne recevrait aucune visite, il se maudit encore davantage de ne pas avoir emporté de livre. « Des heures perdues à jamais ! » enragea-t-il. Son portable lui apprit qu'il n'y avait pas de réseau ; quant au téléphone mural, il ne permettait pas d'appeler l'extérieur. « Rien n'a été laissé au hasard. »

Déodat regarda la bouteille de Deutz disposée dans un seau à glace. À côté, une flûte le narguait : « Qui a envie de boire seul un tel champagne ? » À titre d'expérience, il sortit – presque étonné qu'on n'ait pas fermé la porte à double tour dans l'intervalle – et se retrouva nez à nez avec le quidam qui devait être son garde. Il lui demanda à brûle-pourpoint s'il désirait boire du champagne avec lui. Impavide, le geôlier répondit qu'il n'en avait pas le droit.

Il retourna dans sa cellule, furieux : « Un ornithologue enfermé dans une cage, il fallait y penser ! » Quand il tremblait de colère, il savait que l'unique moyen de se calmer consistait à observer un oiseau. Or, sa loge ne comportait pas de fenêtre. Il fonça avertir le maton qu'il avait besoin d'une loge avec une fenêtre.

— Aucune loge ne comporte de fenêtre, répondit le maton sans sourciller.

Déodat s'effondra sur le canapé. «On cherche à me faire craquer et on y arrive», songea-t-il. Dans les situations de crise, il se métamorphosait en étourneau et se cognait le front à tous les murs de la pièce comme si quelqu'un jouait du tam-tam à côté de lui. Préférant la révolte à la folie, il jaillit hors de sa loge et courut dans les couloirs à la recherche d'une fenêtre, poursuivi par son escorte qui ne cessait de le rappeler à l'ordre. Enfin, il parvint à une baie vitrée et s'abîma dans la contemplation du ciel.

— Veuillez retourner dans votre loge, monsieur.

— Fichez-moi la paix !

Il finit par apercevoir un martinet qui tournoyait haut dans le ciel. Aucun spectacle ne le délivrait à ce point : à force de le regarder, Déodat devenait l'oiseau en vol. Il se laissa planer le temps qu'il fallut. Quand il sentit que la crise était passée, il quitta le corps du martinet et fila rejoindre sa loge. Voyant que le surveillant était sur ses talons, il le sema et entra dans une cellule qui était la copie conforme de la sienne.

L'irruption d'un personnage qui claqua

la porte derrière lui arracha Trémière à sa contemplation méditative. Si ses perceptions n'avaient été aiguisées par l'exercice auquel elle se livrait depuis plus d'une heure, sans doute eût-elle éprouvé du dégoût à la vue de Déodat. Or, la première chose qu'elle sentit fut que cette créature venait de planer dans le ciel :

— Je ne savais pas qu'un paon pouvait voler, dit-elle.

Nausicaa n'eut pas une voix aussi douce pour accueillir Ulysse sur le rivage.

Déodat, qui ne comprenait rien à ce qui se passait, saisit la balle au bond :

— Les paons sont des oiseaux étranges, dit-il. La roue, par exemple. C'est leur numéro de charme et leur parade de guerre. Jusqu'ici, rien d'étonnant. Dans l'espèce humaine aussi, il est régulier que l'atout de séduction coïncide avec le dispositif de défense. Mais même en l'absence de femelle, de rival ou de menace, on peut surprendre le paon à exhiber son éventail sans qu'on puisse en expliquer la raison.

— Peut-être pour le simple plaisir de sa beauté ?

— Sans qu'aucun miroir ne lui en renvoie l'image ?

— Parfois, c'est précisément l'absence de tout reflet qui permet de se sentir belle.

Déodat sut qu'elle parlait d'expérience.

— Comment avez-vous compris que j'étais un paon ?

— Quand vous êtes entré, j'ai d'abord vu que vous étiez un oiseau : vous veniez de voler dans les airs, sans que je puisse vous en dire plus. Et puis, j'ai vu votre propension à l'excès. Pardonnez-moi de vous parler sans détour : c'est comme si vous mettiez votre point d'honneur à déployer toute la laideur du monde. Vous y mettez autant de panache que le paon à déployer ses ocelles. Êtes-vous l'ornithologue ?

Ils se présentèrent l'un à l'autre. Comme plus rien ne s'y opposait, ils versèrent du champagne dans la flûte et y burent à tour de rôle. Ce philtre leur confirma qu'ils étaient irrémédiablement amoureux.

— Je dois vous prévenir que je n'ai pas d'esprit.

— Les mots par lesquels vous m'avez accueilli ne le signalaient pas. Quant à moi, il me semble superflu de vous rappeler ma triste figure.

— Votre voix est très belle. Pour vous, faire la roue consiste à parler.

— Avez-vous lu *Riquet à la Houppe* ?

— Arrêtez, je vous en prie. Je me sens toute nue.

— Ce n'est pas le seul conte de Perrault que vous m'évoquez. Quel est encore le titre de celui où une jeune fille, pour avoir donné de l'eau à une vieille pauvresse, voit chacune de ses paroles se transformer en pierre précieuse ?

Ils échangèrent des grâces jusqu'à ce que la bouteille de champagne soit vide.

— Voulez-vous que j'aille chercher l'autre bouteille dans ma loge ? demanda Déodat.

— Quelle heure est-il ? fut la singulière réponse de Trémière, dont l'amoureux comprit aussitôt la portée.

— Dix-sept heures. Vous avez raison, on se moque de nous. Partons.

Ils filèrent à l'anglaise. Les gens de la télévision tentèrent de les en dissuader ; ils employèrent l'argument qui leur sembla le plus terrible :

— Si vous partez, on ne vous invitera plus jamais à cette émission.

Trémière et Déodat éclatèrent de rire et galopèrent à toutes jambes jusqu'au premier taxi venu.

Ils résolurent la quadrature du cercle : à l'extase hypnotique des débuts amoureux coïncidait la calme certitude de leur éternité. Cet amour se passa du serment, cadenas verbal des gens de peu de foi.

Bien évidemment, il y eut un scandale. Furieux de ce désistement impardonnable, l'animateur « joua la carte de la transparence », racontant sa version des faits : forts de leur coup de foudre, le mannequin et l'ornithologue avaient prouvé qu'ils manquaient de la plus élémentaire éducation et avaient pris la poudre d'escampette sans un mot d'excuse ni une explication, incapables de réprimer plus longtemps leurs ardeurs.

L'émission fit grand bruit. La presse à sensation s'en empara. Les amoureux n'en surent rien. Le jour de leur rencontre, ils avaient demandé au taxi de les conduire à la première gare (ce fut Montparnasse), où ils sautèrent dans le premier train, qui allait à Nantes. Trémière avait entendu parler, dans cette ville, d'une chapelle gothique désaffectée qui avait été restaurée en hôtel chic. Ils y prirent une chambre dont la fenêtre était un vitrail et s'aimèrent sous les croisées d'ogives. Ils gardèrent leurs téléphones portables éteints pendant une semaine. Chaque soir, ils sortaient pour se promener en ville et pour dîner. Des journalistes du quotidien *Ouest-France* les repérèrent et, émus que le couple ait choisi Nantes pour théâtre de leurs débuts amoureux, gardèrent le secret.

Une semaine plus tard, ils allumèrent ensemble leurs portables : leurs messageries respectives débordaient d'insultes. Ils conservèrent soigneusement les messages les plus injurieux de l'animateur et les firent écouter à leurs collaborateurs, qui changèrent aussitôt d'attitude. L'attachée de presse de la joaillerie Trébuchet savait qu'elle ne travaillerait plus jamais avec cette émission et fit diffuser un enregistrement des grossièretés du présentateur : l'opinion se retourna contre lui, on félicita les amoureux pour leur défection.

De retour à Paris, ils achetèrent un grand appartement au troisième étage d'un vieil immeuble de la rue des Tournelles. Personne ne comprit ce choix : l'hôtel particulier avait été somptueux mais il était vétuste et la lumière pénétrait à peine dans cette ruelle en coin. Ils avaient eu un coup de cœur pour ce logis romantique, situé non loin de la place des Vosges.

Même les paparazzis avaient été choqués par les propos orduriers de l'animateur du show télévisé. Moyennant quoi, le couple fut laissé tranquille. Quand les jeunes gens se promenaient ensemble, ils donnaient une image de l'amour si convaincante qu'ils inspiraient le respect. On ne les voyait plus en une de la presse à sensation mais en quinzième page de magazine de *30 millions d'amis*, avec des titres bêtes et attendrissants du genre : « L'ornithologue a trouvé l'oiselle de ses rêves ».

Bien sûr, on leur chercha des poux. Lors d'un entretien, Trémière avoua sans ambages que c'était elle qui pourvoyait aux besoins du couple. Il y eut des gens pour s'en formaliser. « Le mannequinat rapporte davantage que l'ornithologie », dit la jeune femme en haussant les épaules. Déodat emporta l'adhésion générale en déclarant :

— Mon physique me prédisposait à devenir un homme entretenu.

Trémière, qui ne voyait plus la laideur du jeune homme depuis qu'elle l'aimait, ne comprit pas l'humour du propos.

Les contes ont un statut étrange au sein de la littérature : ils bénéficient d'une estime immodérée. L'ambiguïté du conte provient du fait que sous couleur de s'adresser aux enfants, on parle aussi et peut-être d'abord aux adultes. Quand Cocteau tourne *La Belle et la Bête*, il sait que son public comportera plus d'adultes que d'enfants.

Riquet à la Houppe appartient au genre du conte. En France, la majorité des contes se terminent bien. On ne s'offusque pas de les voir obéir à cette règle enfantine de la fin heureuse, qui est considérée comme une faute de goût par 99,99 % des littératures dignes de ce nom.

Le pont aux ânes de la littérature, c'est évidemment l'amour. Il faut croire que ce sujet est irrésistible. Les grands écrivains mondiaux qui n'ont pas consacré une ligne à l'amour se comptent sur les doigts d'une main.

Or, s'il est une règle presque absolue qui gouverne les chefs-d'œuvre de la littérature amoureuse, c'est qu'ils doivent se terminer très mal. Sinon, on considère que c'est du roman de gare. Tout se passe comme si le grand écrivain, pour se faire pardonner d'aborder le pont aux ânes littéraire, y incluait une fin tragique en guise d'acte de contrition.

Le Bonheur dans le crime de Barbey d'Aurevilly est une exception grandiose. Élargissons le spectre en incluant les chefs-d'œuvre dont l'amour n'est pas l'unique sujet : *Guerre et Paix*, *Au bonheur des dames* sont de rares exemples de littérature où l'amour finit bien.

J'ai beau être une dévoreuse de livres, il va de soi que je n'ai pas lu tous les chefs-d'œuvre littéraires de ce monde, mais en 2015 il m'est arrivé une expérience édifiante : j'ai lu *La Comédie humaine* de Balzac en entier. Cent quarante-sept ouvrages de longueur et de valeur très inégales, certes, mais dont personne, j'espère, ne nie qu'il s'agit, au total, d'un chef-d'œuvre. Voilà une entreprise littéraire qui a eu l'ambition de peindre un univers dans son entier.

Sur les cent quarante-sept ouvrages, il y en a trente-cinq dans lesquels l'amour est quantité négligeable. Il en reste donc cent douze où l'amour joue un rôle narratif important, voire prépondérant. Sur ces cent douze histoires, sept se terminent bien, voire très bien. La précision m'oblige à dire que parmi ces cent douze œuvres, trois sont inachevées : on ne peut pas conjecturer de leur fin. Stipulons aussi qu'à mes yeux se terminer bien signifie davantage que ne pas se terminer mal. Et qu'un petit sursaut final de consolation, comme la réussite amoureuse et professionnelle des enfants de César Birotteau, ne me suffit certainement pas pour trouver que le roman qui porte son nom connaît un heureux dénouement.

Et l'amour ? Sur ce sujet, Balzac se montre tour à tour désarmant de naïveté et extraordinairement bien informé. On a envie de dire que son érudition est celle d'un être pourvu d'un appétit amoureux hors normes (la naïveté explique l'appétit et réciproquement) et d'une expérience impressionnante. Un goinfre averti, en somme. J'ai tendance à croire au témoignage d'une personne de cette espèce.

Donc 6 % des histoires d'amour balzaciennes se terminent bien. Ce n'est pas beaucoup, mais ce n'est pas négligeable. C'est comme si Balzac disait que, dans cette guerre sanglante et périlleuse qu'est l'amour, on pouvait aussi, parfois, connaître le triomphe. Ursule Mirouët, malgré mille embûches, épouse le vicomte de Portenduère ; leur mariage est un grand succès. La princesse de Cadignan, après une vie dévoyée, connaît le comble du bonheur amoureux avec celui de ses personnages auquel Balzac s'identifie le plus.

Si Déodat et Trémière avaient été des personnages de Balzac, ils se seraient acheté un très bel attelage et auraient déambulé l'après-midi sur les Champs-Élysées, sous les regards admiratifs du meilleur monde. Le jeudi soir, ils auraient reçu leurs amis du faubourg Saint-Germain dans leur hôtel particulier, et l'on se serait exclamé sur les ravissantes toilettes portées par la maîtresse des lieux.

Logés à moins prestigieuse enseigne, Déodat et Trémière connurent l'inquiétant bonheur de Damoclès, conscients de la permanence du danger et d'autant plus extatiques.

On les invita partout. Ils étaient, sans le savoir, le nouveau couple à la mode, et n'en revenaient pas de l'accueil exquis qu'on leur réservait.

En vérité, Déodat et Trémière, loin de se sentir complices, communiaient par l'inquiétante étrangeté qu'ils éprouvaient si souvent l'un l'autre. Combien de fois, en se retrouvant, pensaient-ils, chacun à leur tour : « C'est lui », ou : « C'est elle », avec une stupéfaction proche de l'effroi – « Qui est donc cette personne si singulière qui occupe désormais le centre du monde ? ». L'élu portait alors à l'élue une flûte de champagne qu'ils buvaient ensemble avec fascination.

En leur for intérieur, ils bénissaient les déceptions amoureuses qu'ils avaient vécues : sans ces chagrins, ils auraient peut-être supposé que leur exceptionnalité était le lot commun, qu'il était normal de découvrir chaque soir ou chaque matin une joie si vaste.

Ils ne se dirent pas tout, non pas par vaine coquetterie, mais parce qu'ils étaient conscients de comporter chacun une part d'indicible. Pour autant, jamais ils ne recoururent à ces agaçantes prétéritions («Je ne te dis pas tout, mon chéri») qui épatent les gogos de l'amour. Ainsi, Déodat ne parla jamais de Saskia et Trémière garda toujours secrets les bijoux de sa grand-mère.

Le temps passa et n'émoussa pas l'absolu de leur trouble. Ils ne se marièrent pas. Elle n'eut jamais pour lui la voix excédée d'une épouse, et il lui épargna toujours les propos narquois d'un époux.

D'avoir failli être bossu, il garda les épaules un peu voûtées ; elle aimait ce maintien qui invitait à la caresse. Quant à lui, il tournait autour d'elle pour l'admirer sous tous les angles et citait Barbey d'Aurevilly : «Le profil est l'écueil de la beauté ou son attestation la plus éclatante.»

Au printemps, un couple de fauvettes orphées nidifia dans le marronnier qui jouxtait leur fenêtre. Déodat ne signala pas cet événement à sa juridiction, il préféra taire ce miracle. De mémoire d'ornithologue, c'était la première fois que l'on voyait d'aussi rares oiseaux dans le troisième arrondissement de Paris.

Le Livre de Poche s'engage pour
l'environnement en réduisant
l'empreinte carbone de ses livres.
Celle de cet exemplaire est de :
200 g éq. CO$_2$
Rendez-vous sur
www.livredepoche-durable.fr

PAPIER À BASE DE
FIBRES CERTIFIÉES

Composition réalisée par MAURY IMPRIMEUR

Achevé d'imprimer en décembre 2017, en France sur Presse Offset par
Maury Imprimeur – 45330 Malesherbes
N° d'imprimeur : 222973
Dépôt légal 1re publication : janvier 2018
LIBRAIRIE GÉNÉRALE FRANÇAISE – 21, rue du Montparnasse – 75298 Paris Cedex 06